RENATO ORTIZ

CULTURA BRASILEIRA
E IDENTIDADE NACIONAL

5ª edição, 1994

São Paulo
editora brasiliense

copyright © Renato Ortiz, 1985.
Nenhuma parte desta publicação pode ser gravada,
armazenada em sistemas eletrônicos, fotocopiada,
reproduzida por meios mecânicos ou outros quaisquer
sem autorização prévia do editor.

Primeira edição, 1985
5.ª edição, 1994
15.ª reimpressão, 2017

Diretora Editorial: *Maria Teresa B. de Lima*
Editor: *Max Welcman*
Produção *Gráfica: Laidi Alberti*
Revisão: *Com_Textos@cia.*
Capa: *Ettore Bottini*

Dados Internacionais de Catalogação na Publicação (CIP)
(Câmara Brasileira do Livro, SP, Brasil)

Ortiz, Renato
    Cultura brasileira e identidade nacional / Renato
Ortiz. -- São Paulo : Brasiliense, 2012.

    ISBN 978-85-11-07014-9

    1. Brasil — Civilização 2. Brasil — História
3. Cultura — Brasil 4. Identidade social I. Título

06-2938   CDD- 981

Índices para catálogo sistemático:
1. Brasil : Cultura : Civilização : História   981

editora brasiliense ltda
Rua Antônio de Barros, 1720 - Tatuapé
CEP 03401-001 – São Paulo – SP
www.editorabrasiliense.com.br

Sumário

Introdução 7

Memória coletiva e sincretismo científico:
as teorias raciais do século XIX 13

Da raça à cultura: a mestiçagem e o nacional 36

Alienação e cultura: o ISEB 45

Da cultura desalienada à cultura popular:
o CPC da UNE 68

Estado autoritário e cultura 79

Estado, cultura popular e identidade nacional 127

Bibliografla 143

a descoberta:

Seguimos nosso caminho por este mar de longo
Até a oitava da Páscoa
Topamos aves
E houvemos vista de terra

(Pero Vaz de Caminha, *Poesia Pau-Brasil*)

Introdução

O tema da cultura brasileira e da identidade nacional é um antigo debate que se trava no Brasil. No entanto, ele permanece atual até hoje, constituindo uma espécie de subsolo estrutural que alimenta toda a discussão em torno do que é o nacional. Os diferentes autores que têm abordado a questão concordam que seríamos diferentes de outros povos ou países, sejam eles europeus ou norte-americanos. Neste sentido, a crítica que os intelectuais do século XIX faziam à "cópia" das ideias da metrópole é ainda válida para os anos 1960, quando se busca diagnosticar a existência de uma cultura alienada, importada dos países centrais. Toda identidade se define em relação a algo que lhe é exterior, ela é uma diferença. Poderíamos nos perguntar sobre o porquê desta insistência em buscarmos uma identidade que se contraponha ao estrangeiro. Creio que a resposta pode ser encontrada no fato de sermos um país do chamado Terceiro Mundo, o que significa dizer que a pergunta é uma imposição estrutural que se coloca a partir da própria posição dominada em que nos encontramos no sistema internacional. Por isso autores de tradições diferentes, e politicamente antagônicos, se encontram, ao se formular uma resposta para o que seria uma cultura nacional. Porém, a identidade possui ainda uma outra dimensão, que é interna. Dizer que somos diferentes não basta, é necessário mostrar em que nos identiflcamos. Este é o ponto polêmico, o divisor de águas entre autores como

Gilberto Freyre e Álvaro Vieira Pinto. Se existe uma unidade em afirmarmos que o Brasil é "distinto" dos outros países, o consenso está longe de se estabelecer quando nos aproximamos de uma possível definição do que viria a ser o nacional.

O objetivo deste livro é retomar as diferentes maneiras como a identidade nacional e a cultura brasileira foram consideradas. Minha preocupação inicial foi a de compreender como a questão cultural se estrutura atualmente no interior de uma sociedade que se organiza de forma radicalmente distinta do passado, pois, na medida em que o capitalismo atinge novas formas de desenvolvimento, tem-se que novos tipos de organização da cultura são implantados, em particular a partir de meados dos anos 1960. Dentro deste contexto, qual o significado da noção de cultura brasileira? Qual o sentido de uma identidade ou de uma memória que se querem nacionais? Foram essas perguntas, que estão subjacentes no texto, que me orientaram, inclusive no estudo relativo aos intelectuais do final do século XIX. De certa forma, o passado se apresentava para mim como uma maneira de se conhecer e entender melhor o momento presente. Neste sentido é interessante ressaltar que a problemática da cultura brasileira tem sido, e permanece, até hoje, uma questão política. Como o leitor poderá perceber, eu procuro mostrar que a identidade nacional está profundamente ligada a uma reinterpretação do popular pelos grupos sociais e à própria construção do Estado brasileiro.

Mas, ao colocar o debate dentro desta perspectiva, eu tive de enfrentar um problema que se tornou clássico na discussão da cultura brasileira: o de sua autenticidade. Como veremos no último capítulo, creio que é o momento de reconhecermos que toda identidade é uma construção simbólica (a meu ver necessária), o que elimina portanto as dúvidas sobre a veracidade ou a falsidade do que é produzido. Dito de outra forma, não existe uma identidade autêntica, mas uma pluralidade de identidades, construídas por diferentes grupos sociais em diferentes momentos históricos. O "pessimismo" de Nina Rodrigues, o "otimismo" de Gilberto Freyre, o "projeto" do ISEB são as diferentes faces de uma mesma discussão, a da relação entre cultura e Estado. Na verdade, falar em cultura brasileira é falar em relações de poder. Quando os intelectuais do ISEB afirmam, por exemplo, que não existe um pensa-

CULTURA BRASILEIRA E IDENTIDADE NACIONAL 9

mento brasileiro anterior ao modernismo, o que de fato eles estão fazendo é introduzir um corte arbitrário na história. Eles selecionam um evento para orientar politicamente uma luta ideológica contra um outro grupo social, que até então possuía o monopólio da definição sobre o Ser nacional — os intelectuais tradicionais. Não resta dúvida de que o estudo dos escritores do século XIX mostra a existência de um pensamento autóctone, brasileiro. O que me assusta é o seu caráter profundamente conservador. Na verdade, a luta pela definição do que seria uma identidade autêntica é uma forma de se delimitar as fronteiras de uma política que procura se impor como legítima. Colocar a problemática dessa forma é, portanto, dizer que existe uma história da identidade e da cultura brasileira que corresponde aos interesses dos diferentes grupos sociais na sua relação com o Estado.

O que o leitor encontrará nos capítulos que seguem é uma tentativa de trabalhar a problemática da maneira que explicitamos anteriormente. O livro, no entanto, não foi escrito por um historiador. Não me preocupei, por exemplo, em estabelecer uma periodização, ou ainda em esgotar as múltiplas definições que existem sobre o nacional. Tenho consciência de que este trabalho poderá ser realizado com maior sucesso por historiadores profissionais. O que fiz foi procurar compreender o assunto dentro de uma ótica diferente da qual ele é habitualmente discutido. Se a história se encontra presente na discussão, e não poderia ser de outra forma, eu parti da Antropologia, e integrei vários conceitos como de "sincretismo", "memória coletiva", "mito", "símbolo", em minhas análises sobre os autores nacionais. De alguma maneira procurei lê-los como Lévi-Strauss "leu" os mitos primitivos. Não que a análise proposta seja estruturalista, mas, ao tratar os diversos discursos sobre o Brasil, recuperei toda uma corrente da Antropologia que se inicia com Durkheim e Mauss em seus estudos sobre as categorias de classificação primitiva e que deságua em autores mais recentes como Victor Tumer e Clifford Geertz.[1] Por outro lado, me voltei também para Mauss, cujo conceito de totalidade me auxiliou em muito para entender a questão do nacional e sua

---

(1) Ver Durkheim, *Les Formes Elementaires de la Vie Religieuse*, Paris, PUF, e *Textes*, Minuit; Marcel Mauss, *Anthropologie e sociologie,* Paris: *Oeuvres*, 3 vols., Paris, Ed. Minuit;

10 RENATO ORTIZ

relação com o popular. Não me preocupei, porém, em realizar toda uma discussão teórica antes da utilização dos conceitos. Optei por não sobrecarregar em demasia o texto, pois poderia perder de vista o próprio assunto que me propunha tratar. Fica nesta introdução uma rápida observação para o leitor, o que lhe permite situar o pensamento do autor dentro de um quadro mais abrangente.

Mas, se me voltei para a Antropologia na busca de novos horizontes, foi-me necessário sair dela ao tratar da problemática da cultura brasileira. A Antropologia Clássica, ao se ocupar das sociedades primitivas, deixa de lado, ou minimiza, uma série de questões que são cruciais para o entendimento das sociedades industrializadas. Estado, ideologia, hegemonia, intelectuais são temas que crescem à sombra do pensamento antropológico mas que ocupam uma posição de destaque em outros setores das Ciências Sociais. Por isso o antropólogo de alguma maneira deve "distorcer" os conceitos e combiná-los a um quadro de análise que lhe permita passar para o nível sociológico. É isso que possibilita conferir ao pensamento uma maior abrangência ao mesmo tempo que se pode enxergar a realidade social e política com novos olhos. Não creio que esteja propondo com isto uma leitura eclética de autores de tradições diferentes, simplesmente sou daqueles que pensam, como Marx e Durkheim (deixando de lado sua inclinação positivista), que são tênues as fronteiras entre os campos de conhecimento, e preferem buscar o entendimento da sociedade dentro de uma perspectiva global.

Uma última palavra. Os estudos aqui reunidos resultam em grande parte das discussões realizadas pelo Grupo de Sociologia da Cultura ligado à Associação Nacional de Pós-Graduação e Pesquisa em Ciências Sociais. Os vários encontros que fizemos para tratar do problema da cultura brasileira contribuíram em muito para o amadurecimento de minhas reflexões. Evidentemente assumo a responsabilidade pelas posições que pessoalmente tomo ao longo de minhas análises, mas sinceramente gostaria de agradecer aos

---

V. Turner, *The Foresf of Simbols*, Londres, Comell University Press, 1977; C. Geertz, *A Interpretação das Culturas*, Rio de Janeiro, Zahar, 1978.

CULTURA BRASILEIRA E IDENTIDADE NACIONAL

colegas que me propiciaram a oportunidade de fazer com eles este debate. Prefiro não citá-los nominalmente nesta introdução, pois são muitos, mas eles se encontram neste livro no corpo do texto, nas notas de referência e na bibliografia sobre o assunto que procurei organizar para o leitor.

Pampulha, 21 de agosto de 1984

Memória coletiva e sincretismo científico: as teorias raciais do século XIX*

O que surpreende o leitor, ao se retomar as teorias explicativas do Brasil, elaboradas em fins do século XIX e início do século XX, é a sua implausibilidade. Como foi possível a existência de tais interpretações, e, mais ainda, que elas tenham se alçado ao *status* de Ciências. A releitura de Sílvio Romero, Euclides da Cunha, Nina Rodrigues é esclarecedora na medida em que revela esta dimensão da implausibilidade e aprofunda nossa surpresa, por que não um certo mal-estar, uma vez que desvenda nossas origens. A questão racial tal como foi colocada pelos precursores das Ciências Sociais no Brasil adquire na verdade um contorno claramente racista, mas aponta, para além desta constatação, um elemento que me parece significativo e constante na história da cultura brasileira: a problemática da identidade nacional. Gostaria de tecer neste capítulo algumas reflexões em torno da relação entre questão racial e identidade brasileira. Acredito que privilegiando um momento da vida cultural poderei talvez apreender alguns aspectos mais gerais das diferentes teorias sobre cultura brasileira.

(*) Publicado nos *Cadernos CERU* n.º 17, set. 82.

14 RENATO ORTIZ

Tomemos como objeto de estudo alguns autores, como Sílvio Romero, Nina Rodrigues e Euclides da Cunha. Esta escolha não é arbitrária; ela privilegia justamente os teóricos que são considerados, e com razão, os precursores das Ciências Sociais no Brasil. O estatuto de precursor revela a posição desses autores que na virada do século se dedicaram ao estudo concreto da sociedade brasileira, seja analisando suas manifestações literárias, seja considerando as tradições africanas ou os movimentos messiânicos. O discurso que construíram possibilitou o desenvolvimento de escolas posteriores, como por exemplo a escola de antropologia brasileira, que, vinculada aos ensinamentos de Nina Rodrigues, adquire com Arthur Ramos a configuração definitiva de ciência da cultura. Neste sentido, Sílvio Romero, Nina Rodrigues e Euclides da Cunha podem ser tomados como produtores de um discurso paradigmático do período em que escrevem; tem ainda a vantagem de podermos considerá-lo como discurso científico, o que de uma certa forma esclarece as origens das Ciências Sociais brasileiras.

Ao se referir ao declínio da hegemonia do romantismo de Gonçalves Dias e José de Alencar, que podemos situar em tomo de 1870, Sílvio Romero arrola um lista das teorias que teriam contribuído para a superação do pensamento romântico.[1] Dentre elas, três tiveram um impacto real junto à *intelligentsia* brasileira, e de uma certa forma, delinearam os limites no interior dos quais toda a produção teórica da época se constitui: opositivismo de Comte, o darwinismo social, o evolucionismo de Spencer. Elaboradas na Europa em meados do século XIX, essas teorias, distintas entre si, podem ser consideradas sob um aspecto único: o da evolução histórica dos povos. Na verdade, o evolucionismo se propunha a encontrar um nexo entre as diferentes sociedades humanas ao longo da história; aceitando como postulado que o "simples" (povos primitivos) evolui naturalmente para o mais "complexo" (sociedades ocidentais), procurava-se estabelecer as leis que presidiriam o progresso das civilizações. Do ponto de vista político, tem-se que o evolucionismo vai possibilitar à elite europeia uma tomada de cons-

---

(1) Silvio Romero, *História da Literatura Brasileira*, Rio de Janeiro, José Olympio, 1943.

CULTURA BRASILEIRA E IDENTIDADE NACIONAL 15

ciência de seu poderio que se consolida com a expansão mundial do capitalismo. Sem querer reduzi-lo a uma dimensão exclusiva, pode-se dizer que o evolucionismo, em parte, legitima ideologicamente a posição hegemônica do mundo ocidental. A "superioridade" da civilização europeia torna-se assim decorrente das leis naturais que orientariam a história dos povos. A "importação" de uma teoria dessa natureza não deixa de colocar problemas para os intelectuais brasileiros. Como pensar a realidade de uma nação emergente no interior desse quadro? Aceitar as teorias evolucionistas implicava analisar-se a evolução brasileira sob as luzes das interpretações de uma história natural da humanidade; o estágio civilizatório do país se encontrava assim de imediato definido como "inferior" em relação à etapa alcançada pelos países europeus. Torna-se necessário, por isso, explicar o "atraso" brasileiro[2] e apontar para um futuro próximo, ou remoto, a possibilidade de o Brasil se constituir como povo, isto é, como nação. O dilema dos intelectuais desta época é compreender a defasagem entre teoria e realidade, o que se consubstancia na construção de uma identidade nacional. A interpretação do Brasil passa necessariamente por esse caminho, daí a ênfase no estudo do "caráter nacional", o que em última instância se reportava à formação de um Estado nacional. O evolucionismo fornece à *intelligentsia* brasileira os conceitos para compreensão desta problemática; porém, na medida em que a realidade nacional se diferencia da europeia, tem-se que ela adquire no Brasil novos contornos e peculiaridades. A especificidade nacional, isto é, o hiato entre teoria e sociedade, só pode ser compreendido quando combinado a outros conceitos que permitem considerar o porquê do "atraso" do país. Se o evolucionismo toma possível a compreensão mais geral das sociedades humanas, é necessário porém completá-lo com outros argumentos que possibilitem o entendimento da especificidade social. O pensamento brasileiro da época vai encontrar tais argumentos em duas noções particulares: o meio e a raça.

Os parâmetros raça e meio fundamentam o solo epistemológico dos intelectuais brasileiros de fins do século XIX e início do século XX. A interpretação de toda a história brasileira escrita no

---

(2) É sugestivo que o cap. III do livro de Sílvio Romero se intitule "A Filosofia de Buckle e o atraso do povo brasileiro".

período adquire sentido quando relacionada a esses dois conceitos-chave. Não é por acaso que *Os Sertões* abre com dois longos e cansativos capítulos sobre a Terra e o Homem.[3] Sílvio Romero, já em seus primeiros estudos sobre o folclore, dividia a população brasileira em habitantes das matas, das praias e margens de rio, dos sertões, e das cidades.[4] Nina Rodrigues, em suas análises do direito penal brasileiro, tece inúmeras considerações a respeito da vinculação entre as características psíquicas do homem e sua dependência do meio ambiente.[5] Na realidade, meio e raça se constituíam em categorias do conhecimento que definiam o quadro interpretativo da realidade brasileira. A compreensão da natureza, dos acidentes geográficos esclarecia assim os próprios fenômenos econômicos e políticos do país. Chegava-se, desta forma, a considerar o meio como o principal fator que teria influenciado a legislação industrial e o sistema de impostos, ou ainda que teria sido elemento determinante na criação de uma economia escravagista. Combinada aos efeitos da raça, a interpretação se completa. A neurastenia do mulato do litoral se contrapõe, assim, à rigidez do mestiço do interior (Euclides da Cunha); a apatia do mameluco amazonense revela os traços de um clima tropical que o tornaria incapaz de atos previdentes e racionais (Nina Rodrigues). A história brasileira é, desta forma, apreendida em termos deterministas, clima e raça explicando a natureza indolente do brasileiro, as manifestações tíbias e inseguras da elite intelectual, o lirismo quente dos poetas da terra, o nervosismo e a sexualidade desenfreada do mulato.

O evolucionismo se combina, assim, a dois conceitos-chave que na verdade têm ressonância limitada para os teóricos europeus. No entanto, são fatores importantes para os intelectuais brasileiros, na medida em que exprimem o que há de específico em nossa sociedade. Quando se afirma que o Brasil não pode ser mais uma "cópia" da metrópole, está subentendido que a particularidade nacional se revela através do meio e da raça. Ser brasileiro

---

(3) Euclides da Cunha, *Os Sertões*, Rio de Janeiro, Ed. Ouro.
(4) Sílvio Romero, *Cantos Populares no Brasil*, Rio de Janeiro, José Olympio, 1954.
(5) Nina Rodrigues, *As Raças Humanas e a Responsabilidade Penal no Brasil*, Rio de Janeiro, Guanabara, s.d.p.

CULTURA BRASILEIRA E IDENTIDADE NACIONAL 17

significa viver em um país geograficamente diferente da Europa, povoado por uma raça distinta da europeia. Sílvio Romero compreende claramente esta situação quando considera o meio e a raça como "fatores internos" que definiriam a realidade brasileira.[6] Ele vai contrapô-los às "forças estranhas", seja, as influências estrangeiras que possibilitam uma "imitação" da cultura europeia.[7] Meio e raça traduzem, portanto, dois elementos imprescindíveis para a construção de uma identidade brasileira: o nacional e o popular. A noção de povo se identificando à problemática étnica, isto é, ao problema da constituição de um povo no interior de fronteiras delimitadas pela geografia nacional.

Consideremos brevemente a problemática do meio. Uma interpretação do atraso brasileiro, corrente entre os intelectuais da época, é a do historiador inglês Buckle. Ao procurar analisar a realidade brasileira em contraposição à civilização europeia, Buckle retoma as perspectivas de outros autores que buscavam entender a evolução histórica do homem. Basicamente, o que se propunha era vincular o desenvolvimento das civilizações a alguns fatores como calor, umidade, fertilidade da terra, sistema fluvial. Em princípio, teríamos que todas as civilizações teriam evoluído a partir desses elementos de base. Surge porém a pergunta: se o Brasil contém esses elementos fundamentais, qual a razão da inexistência de uma civilização nesta parte do mundo? A resposta, pueril, mas convincente para o momento, era simples: por causa dos ventos alísios. Segue-se toda uma argumentação climatológica que procura justificar o atraso brasileiro através deste elemento conjuntural,

---

(6) Silvio Romero, *História...*, op. cit., p. 258.

(7) É interessante observar que para os autores considerados a ideia de "imitação" tem um duplo significado. Um primeiro negativo se refere à noção de "cópia" e procura ironizar o elemento estrangeiro superficialmente assimilado pelos brasileiros. Por exemplo, Euclides da Cunha acredita que a força do mestiço do interior resulta, em parte, da distância do sertão em relação ao litoral. Em princípio, o mulato do litoral estaria mais exposto às influências nefastas e aos modismos da metrópole portuguesa. O segundo significado é claramente positivo e se associa às teorias de Gabriel Tarde. Imitar significa, neste sentido, se socializar. A educação se dá através do processo de imitação, o que possibilita a transmissão da herança cultural através das gerações. Tarde é um autor citado inúmeras vezes pelos intelectuais do período, o que mostra que se desconhecia as críticas de Durkheim em relação a essa teoria da socialização.

18 RENATO ORTIZ

os ventos alísios. Resulta dessa interpretação um quadro acentuadamente pessimista do Brasil, onde a natureza suplanta o homem, a cultura europeia tem dificuldades em se enraizar, o que determinaria o estágio ainda bárbaro em que permanece o conjunto da população brasileira. Sílvio Romero aceita a interpretação de Buckle mas a considera incompleta, se propõe por isso a aprimorá-la com um estudo mais detalhado do meio e particularmente relacionando-o à questão racial. A posição é idêntica em Euclides da Cunha e Nina Rodrigues. As críticas que os intelectuais fazem às teorias de Buckle se referem simplesmente aos exageros, ao pouco conhecimento que o autor inglês tinha do Brasil. Elas não tocam, no entanto, a substância de seu pensamento; aceita-se, sem nenhum conhecimento crítico, o argumento do meio como fundamento do discurso científico. Um exemplo claro de continuidade dessa tradição é o livro de Euclides da Cunha sobre Canudos. O nordestino só é forte na medida em que se insere num meio inóspito ao florescimento da civilização europeia. Suas deficiências provêm certamente desse descompasso em relação ao mundo ocidental, sua força reside na aventura de domesticação da caatinga. Procura-se dessa forma descobrir os defeitos e as vicissitudes do homem brasileiro (ou da sub-raça nordestina) vinculando-os necessariamente às dificuldades ou facilidades que teria encontrado junto ao meio ambiente que o circunda.

A problemática racial é mais abrangente; Sílvio Romero chega a considerá-la como mais importante que a do meio. Na realidade, ela é vista como "a base fundamental de toda a história, de toda política, de toda estrutura social, de toda a vida estética e moral das nações".[8] A política de imigração desenvolvida no final do século vem ainda reforçar a importância deste assunto. Retoma-se assim uma questão que desde meados do século tinha sido considerada tanto pelos viajantes estrangeiros que permaneceram um curto período no Brasil (Gobineau, Agassiz) quanto pelos autores brasileiros. Couto de Magalhães havia abordado o problema da mestiçagem indígena durante os anos 1970;[9] os escritores românti-

---

(8) Sílvio Romero, *História...*, op. cit., p. 185.
(9) Couto de Magalhães, O *Selvagem*, São Paulo, Cia. Ed. Nacional, 1935.

CULTURA BRASILEIRA E IDENTIDADE NACIONAL 19

cos descobriram o elemento nativo para promovê-lo a símbolo nacional. As reflexões em relação ao cruzamento inter-racial são, no entanto, superficiais e pouco esclarecedoras. O trabalho de Couto de Magalhães é na realidade uma coleta heterogênea de informações sobre os índios, que um general letrado procura colher ao longo de sua carreira militar. O romantismo de Gonçalves Dias e José de Alencar se preocupa mais em fabricar um modelo de índio civilizado, despido de suas características reais, do que apreendê- lo em sua concretude.[10] Por outro lado, nada se tem a respeito das populações africanas; o período escravocrata é um longo silêncio sobre as etnias negras que povoam o Brasil. Em sua *bricolage* de uma identidade nacional, o romantismo pode ignorar completamente a presença do negro. A situação se transforma radicalmente com o advento da Abolição. Como fato político, a Abolição marca o início de uma nova ordem onde o negro deixa de ser mão-de-obra escrava para se transformar em trabalhador livre. Evidentemente, ele será considerado pela sociedade como um cidadão de segunda categoria; no entanto, em relação ao passado tem-se que a problemática racial torna-se mais complexa na medida em que um novo elemento deve obrigatoriamente ser levado em conta. O negro aparece assim como fator dinâmico da vida social e econômica brasileira, o que faz com que, ideologicamente, sua posição seja reavaliada pelos intelectuais e produtores de cultura. Para Sílvio Romero e Nina Rodrigues ele adquire uma importância maior que a do índio (que se acredita estar fadado ao desaparecimento), ou, como dirão alguns: "o negro é aliado do branco que prosperou".

Abordar a problemática da mestiçagem é na realidade retomar a metáfora do cadinho, isto é, do Brasil enquanto espaço da miscigenação. Somente que, aquilo que posteriormente será analisado em termos culturais por Gilberto Freyre, se caracteriza como racial para os intelectuais do período considerado. Neste momento torna-se corrente a afirmação de que o Brasil se constituiu através da fusão de três raças fundamentais: o branco, o negro e o índio. O quadro de interpretação social atribuía porém à raça branca uma posição de superioridade na construção da civilização brasileira.

---

(10) Sobre o romantismo e sua relação com o nacionalismo ver Antônio Cândido, *Formação da Literatura Brasileira*, São Paulo, Ed. USP, 1975.

20 RENATO ORTIZ

As considerações de Sílvio Romero sobre o português, de Euclides da Cunha sobre a origem bandeirante do nordestino, os escritos de Nina Rodrigues, refletem todos a ideologia da supremacia racial do mundo branco. "Estamos condenados à civilização" dirá Euclides da Cunha, o que pode ser traduzido pela análise de Nina Rodrigues: 1) as raças superiores se diferenciam das inferiores; 2) no contato inter-racial e na concorrência social vence a raça superior; 3) a história se caracteriza por um aperfeiçoamento lento e gradual da atividade psíquica, moral e intelectual.[11] Associa-se, desta forma, a questão racial ao quadro mais abrangente do progresso da humanidade. Dentro desta perspectiva, o negro e o índio se apresentam como entraves ao processo civilizatório. É interessante notar que os estudos de Nina Rodrigues sobre as culturas negras decorrem imediatamente de suas premissas racistas; se é verdade que procura compreender o sincretismo religioso, é porque o considera como forma religiosa inferior.[12] A absorção incompleta de elementos católicos pelos cultos afro-brasileiros demonstra, para o autor, uma incapacidade de assimilação da população negra dos elementos vitais da civilização europeia. O sincretismo atestaria os diferentes graus de evolução moral e intelectual de duas raças desiguais colocadas em contacto. Surge assim um problema teórico fundamental para os "cientistas" do período: como tratar a identidade nacional diante da disparidade racial. Do equacionamento deste problema decorre a necessidade de se sublinhar o elemento mestiço. Na medida em que a civilização europeia não pode ser transplantada integralmente para o solo brasileiro (vimos que o meio ambiente é diferente do europeu), na medida em que no Brasil duas outras raças consideradas inferiores contribuem para a evolução da história brasileira, torna-se necessário encontrar um ponto de equilíbrio. Os intelectuais procuram justamente compreender e revelar este nexo que definiria nossa diferenciação nacional. O mestiço é, para os pensadores do século XIX, mais do que uma realidade concreta, ele representa uma categoria através da qual se exprime uma necessidade social — a elaboração de uma iden-

---

(11) Ver Nina Rodrigues, op. cit. *As Raças Humanas*....
(12) Ver Nina Rodrigues, *L'Animisme Fétichiste de Nègres de Bahia*, Paris, 1890.

CULTURA BRASILEIRA E IDENTIDADE NACIONAL   21

tidade nacional. A mestiçagem, moral e étnica, possibilita a "aclimatação" da civilização europeia nos trópicos. Esta ideia de aclimatação, que Couto de Magalhães desenvolve em relação aos indígenas e que é retornada por nossos intelectuais, parece-me essencial. Afirmar que a raça branca se aclimata nos trópicos significa considerar a existência de um fator diferenciador que deve ser levado em conta. É do resultado dessa experiência aclimatadora que se pode caracterizar uma cultura brasileira distinta da europeia. A temática da mestiçagem é neste sentido real e simbólica; concretamente se refere às condições sociais e históricas da amálgama étnica que transcorre no Brasil, simbolicamente conota as aspirações nacionalistas que se ligam à construção de uma nação brasileira.

Colocada da maneira como a analisamos, tem-se que a problemática da miscigenação se apresenta aos intelectuais do período como um dilema. Se por um lado é urgente a elaboração de uma cultura brasileira, por outro se observa que esta se revela como inconsciente. Vimos que a crença no determinismo provocado pelo meio ambiente desemboca numa perspectiva pessimista em relação às possibilidades brasileiras; as considerações a partir das teorias raciais vigentes vão agravar este quadro ainda mais. O mestiço, enquanto produto do cruzamento entre raças desiguais, encerra, para os autores da época, os defeitos e taras transmitidos pela herança biológica. A apatia, a imprevidência, o desequilíbrio moral e intelectual, a inconsistência seriam dessa forma qualidades naturais do elemento brasileiro. A mestiçagem simbólica traduz, assim, a realidade inferiorizada do elemento mestiço concreto. Dentro desta perspectiva a miscigenação moral, intelectual e racial do povo brasileiro só pode existir enquanto possibilidade. O ideal nacional é na verdade uma utopia a ser realizada no futuro, ou seja, no processo de branqueamento da sociedade brasileira. É na cadeia da evolução social que poderão ser eliminados os estigmas das "raças inferiores", o que politicamente coloca a construção de um Estado nacional como meta e não como realidade presente.

Uma interpretação dissidente

Ao estudar as ideias racistas que influenciaram a elite intelectual brasileira, Skidmore propõe uma periodização interessante do predomínio dessas ideias: 1888-1914.[13] O período demarcado corresponderia à hegemonia de um determinado tipo de pensamento que definiria uma *intelligentsia* brasileira; ele constituiria o que Sartre denominou o Espírito da Época. 1888 é a data da Abolição da escravatura, mas representa também, particularmente para nós neste ensaio, o momento de publicação da obra mestra de Sílvio Romero, *História da Literatura Brasileira*. 1914 simboliza o início da Primeira Guerra Mundial, isto é, a emergência de um espírito nacionalista que procura se desvencilhar das teorias raciais e ambientais características do início da República Velha. É importante sublinhar a unicidade de um determinado tipo de pensamento que prevalece junto aos intelectuais brasileiros. Nina Rodrigues escreve em fins dos anos 90 e início do século, Euclides da Cunha publica *Os Sertões* em 1903. Entretanto, neste mesmo ano, Manuel Bonfim escreve em Paris *América Latina: Males de Origem*.[14] O livro retoma as mesmas preocupações dos autores estudados, a questão nacional, mas o retrato do Brasil obtido contrasta vivamente com o anterior. Consideremos as ideias mestras que orientam o estudo de Manuel Bonfim, elas nos permitirão colocar algumas questões singulares a respeito da história da cultura brasileira.

Manuel Bonfim se insere no interior dos grandes marcos que delimitam as fronteiras do pensamento da época — Comte, Darwin, Spencer. No entanto, sua interpretação desses autores é *sui generis* e se opõe às combinações brasileiras que absorvem o evolucionismo aos parâmetros da raça e do meio. Na verdade, Manuel Bonfim se aproxima algumas vezes do positivismo durkheimiano, cuja inspiração se encontra na teoria biológica do social desenvolvida por Augusto Comte. Vejamos como o autor procura diagnosticar os "males" da América Latina.

---

(13) T. Skidmore, *Preto no Branco*, Rio de Janeiro, Paz e Terra, 1976.

(14) Manuel Bonfim, *América Latina: Males de Origem*, Rio de Janeiro, Ed. A Noite.

CULTURA BRASILEIRA E IDENTIDADE NACIONAL 23

Um primeiro ponto chama de imediato a atenção: a problemática brasileira somente existe enquanto parte de um sistema mais abrangente, o da América Latina. Manuel Bonfim possui uma visão internacionalista que não encontra correspondência nos outros autores brasileiros da época. Neste sentido a questão nacional se reveste de uma especificidade política mais geral, pois perguntar-se sobre o Brasil equivale a se indagar a respeito das relações entre América Latina e Europa. A compreensão do atraso latino-americano se liga assim ao esclarecimento das relações entre nações hegemônicas e nações dependentes. Para explicar esta posição peculiar à América Latina, Manuel Bonfim recorre às teorias de Com te, mas retém em particular sua comparação entre a sociedade e os organismos biológicos. Seu instrumental teórico pode ser resumido através dos seguintes pontos: 1) as sociedades existem como organismos similares aos biológicos; 2) existem leis orgânicas que determinam a evolução; 3) a análise da nacionalidade depende do meio em ação combinada com seu passado.[15] É necessário observar que o evolucionismo de Manuel Bonfim se refere menos às etapas das sociedades do que uma filiação a Comte, que enfatiza o estudo do social enquanto organismo biológico. As leis da evolução cedem, assim, lugar às leis biológicas, isto é, desloca-se o enfoque evolucionista no sentido da proposta de Comte que desenvolve a analogia entre a sociedade e os organismos vivos. Este aspecto de Comte é ignorado pelos outros autores brasileiros. Manuel Bonfim se aproxima de alguns autores como Durkheim, para quem o biológico é modelo de compreensão dos fatos sociais.[16] Da analogia entre biologia e sociedade chega-se à noção de doença, conceito-chave para o entendimento do atraso latino-americano. Retomando os argumentos biológicos, Manuel Bonfim define a doença como uma inadaptação do organismo a certas condições especiais. Desde que as condições presentes se revelem como favoráveis, a cura se daria através do conhecimen-

---

(15) Manuel Bonfim, *op. cit.*, p. 34.

(16) Os argumentos utilizados pelo autor lembram muitas vezes alguns estudos de Durkheim, em particular sua "Divisão do Trabalho Social". No entanto Manuel Bonfim não cita Durkheim em nenhum momento, o que torna difícil identificar seu pensamento a uma possível reavaliação durkheimiana de Comte.

24 RENATO ORTIZ

to da história da doença. O paralelo com as sociedades subdesenvolvidas pode então ser realizado: "aparentemente não há nada que justifique o atraso em que se veem, as dificuldades que têm encontrado no seu desenvolvimento. O meio é propício, e por isso mesmo, diante desta anomalia, o sociólogo não pode deixar de voltar-se para o passado a fim de buscar as causas dos males presentes".[17] Temos por um lado a necessidade de se conhecer o passado das nações latino-americanas, pois somente através do conhecimento da inadaptação do organismo-sociedade poderemos diagnosticar os problemas atuais. Por outro, tem-se que a problemática do meio encontra-se descartada, uma vez que se postula a existência de um meio ambiente propício à evolução social.

A analogia entre biológico e social leva Manuel Bonfim a construir uma curiosa teoria do imperialismo baseada em termos de parasitismo social. Podemos resumi-la na seguinte forma: 1) o animal parasita possui uma fase depredadora, momento em que ataca sua vítima; 2) durante o período parasitário, o parasita vive da seiva nutritiva elaborada pelo animal parasitado; 3) partindo-se do princípio de que a "função faz o órgão", tem-se, em certo período longo de parasitismo, um atrofiamento dos órgãos do animal parasita. A conclusão natural desta comparação é que uma sociedade que vive parasitariamente das outras tende a degenerar, a involuir. Transferindo-se os resultados das experiências biológicas sobre o parasitismo para o mundo social, pode-se então afirmar: "sobre os grupos sociais humanos, os efeitos do parasitismo são os mesmos. Sempre que há uma classe ou uma agremiação parasitando sobre o trabalho de outra, aquela — o parasita — se enfraquece, decai, degenera-se, extingue-se".[18] Interpreta-se desta forma a exploração social e econômica como capítulo de um parasitismo social; as leis biológicas se referem, portanto, mais a uma involução da sociedade parasita do que propriamente às etapas de progresso social da humanidade.

Dentro desta inusitada teoria biológico-social tem-se que as relações entre colonizador e colonizado são apreendidas enquanto

---

(17) M. Bonfim, op. cit., p. 35.
(18) M. Bonfim, op. cit., p. 50.

CULTURA BRASILEIRA E IDENTIDADE NACIONAL 25

relações entre parasita e parasitado. Dois momentos cruciais determinam esta relação; o primeiro é relativo a um período de expansão agressiva, o segundo a uma fase de fixação sedentária. O tempo de expansão caracteriza a fase depredadora do colonialismo, é o momento em que a metrópole pilha as colônias, seja através da exploração do ouro, pedras preciosas, destruição das civilizações autóctones etc. Neste sentido, o escrito de Manuel Bonfim é um libelo contra a opressão das nações colonizadoras, Portugal e Espanha. A metrópole "suga" as colônias e vive parasitariamente do trabalho alheio; a introdução do trabalho escravo vai consolidar ainda mais este estado de parasitismo social. O período de fixação sedentária corresponde à implantação de um regime de dominação no qual a nação colonizadora se define como pólo de poder. Esta etapa se define sobretudo pela consolidação de um Estado forte e conservador que procura através da força e da tradição manter o *status quo*. O resultado dessa situação colonial é duplo: por um lado tem-se que a metrópole tende a se degenerar, a involuir,[19] por outro essa dimensão de degenerescência se transmite aos próprios colonizados. O retrato das nações latino-americanas pintado por Manuel Bonfim é cáustico: "lutas contínuas, trabalho escravo, Estado tirânico e espoliador — qual será o efeito de tudo isto sobre o caráter das novas nacionalidades? Perversão do senso moral, horror ao trabalho livre e à vida pacífica, ódio ao governo, desconfiança das autoridades, desenvolvimento dos instintos agressivos".[20]

Analisar o Brasil dentro de uma visão do parasitismo social significa considerá-lo na sua inter-relação com a metrópole portuguesa. No entanto, na medida em que o colonizado é educado pelo colonizador, tem-se que aquele procura imitá-lo. As mazelas do "animal" parasita se transmitem, assim, hereditariamente para o parasitado. Das qualidades transmitidas que definiriam o caráter brasileiro, duas delas Manuel Bonfim considera como as mais fu-

---

(19) M. Bonfim interpreta desta forma o atraso de Portugal e Espanha, mas se esquece de que o progresso das demais nações europeias se deve sobretudo à expansão colonialista que sua análise biológica não consegue integrar.

(20) M. Bonfim, op. cit., p. 176.

26 RENATO ORTIZ

nestas: o conservantismo e a falta de espírito de observação. O conservantismo decorre da posição do colonizador, que procura, custe o que custar, manter a tradição que lhe assegura o poder. Explica-se dessa forma o horror com que os brasileiros encaram todo projeto de mudança social; o apego às tradições conservadoras traduz na verdade uma dificuldade em se colocar diante do progresso social. A crítica de Manuel Bonfim se dirige principalmente aos políticos e intelectuais, que ele considera como essencialmente conservadores. A falta de espírito de observação corresponderia a uma incapacidade de se analisar e compreender a própria realidade brasileira. O abuso dos "chavões e aforismos consagrados" (o bacharel), a imitação do estrangeiro seriam fatores que contribuiriam para o florescimento dessa miopia nacional.

Paralelamente a essas qualidades negativas transmitidas pelo colonizador, mas reelaboradas pelo colonizado, outras, de origem indígena e negra, se integram ao espírito brasileiro. Porém, contrariamente a Nina Rodrigues, Sílvio Romero ou Euclides da Cunha, o autor considera a mistura racial como "renovadora", no sentido de que tenderia a reequilibrar os elementos negativos herdados do colonizador. Não nos façamos porém grandes ilusões. Dentro do pensamento positivista da época, Manuel Bonfim toma partido pelo progresso, isto é, pela civilização europeia. O caráter "renovador" das culturas negra e índia não possui, como o da cultura portuguesa, as qualidades que possibilitam orientar o progresso no sentido da evolução da sociedade; entretanto tal afirmação se dá sem que se faça apelo às teorias racistas vigentes. Pelo contrário, todo o capítulo relativo ao cruzamento racial procura refutar tais teorias que predominavam junto à elite intelectual brasileira. Recusa-se dessa forma as qualidades de indolência, apatia, imprevidência atribuídas seja ao mestiço, seja aos negros ou índios. Manuel Bonfim vai ainda mais longe ao denunciar essas teorias como ideologias que procuram legitimar uma situação de exploração em detrimento das nações subdesenvolvidas. Dirá: "levada à prática a teoria (racista) deu o seguinte resultado: vão os povos 'superiores' aos países onde existem esses povos 'inferiores', organizam-lhes a vida conforme as suas tradições — deles 'superiores' —, instituem-se em classes dirigentes e obrigam os inferiores a trabalhar para sustentá-los; e, se estes não o quiserem, então que os matem e

CULTURA BRASILEIRA E IDENTIDADE NACIONAL 27

eliminem de qualquer forma, a fim de ficar a terra para os superiores: os ingleses governem o Cabo, e os cafres cavem as minas; sejam os anglo--saxões senhores e gozadores exclusivos da Austrália, e destruam-se os australianos como se fossem uma espécie daninha... Tal é em síntese a teoria das raças inferiores".[21] A passagem é clara; através dela pode-se perceber que os autores como Gobineau e Agassiz são substituídos por outros, como, por exemplo, Topinard, o que possibilita a M. Bonfim fundamentar seu discurso contra uma pretensa desigualdade das raças humanas.

A "cópia" das ideias estrangeiras

As análises de Manuel Bonfim, quando comparadas ao pensamento dominante da *intelligentsia* brasileira, colocam um problema recorrente na história da cultura nacional: o da absorção das ideias estrangeiras. Se levarmos em conta o testemunho de diferentes críticos do pensamento brasileiro, nos deparamos de imediato com a questão da "imitação". Parece ter-se transformado em senso comum a tese do Brasil enquanto espaço imitativo. Os protagonistas da Semana de Arte Moderna denunciaram ao infinito esse traço do "caráter brasileiro", que Manuel Bonfim chamava de "falta de espírito de observação", ou que Sílvio Romero combatia em seus estudos literários. Particularmente durante o período estudado tem-se a impressão, através dos próprios críticos, de que o Brasil seria um entreposto de produtos culturais provindos do exterior. A última moda, em particular a parisiense, aportava no Rio de Janeiro para ser, em princípio, consumida sem maiores problemas. Se aceitássemos esse quadro explicativo para compreender a penetração das ideias estrangeiras junto aos intelectuais brasileiros, como interpretar a diferença profunda entre autores como Manuel Bonfim e Nina Rodrigues? Roberto Schwarz, em seu debate sobre as "ideias fora do lugar", afirmava que as ideias "viajam";[22] como entender, no entanto, o fato de algumas ideias chegarem ao porto de destino e outras não? Gostaria de retomar esta

---

(21) M. Bonfim, op. cit., p. 308.
(22) Roberto Schwarz, *Ao Vencedor as Batatas*, São Paulo, Duas Cidades, *1977*.

28 RENATO ORTIZ

problemática constante da história brasileira e recolocá-la para nosso caso particular das Ciências Sociais. Focalizaremos especificamente o quadro das teorias raciais elaboradas na Europa, e que predominam junto à elite brasileira entre 1888-1914.

Ao se consultar as origens das teorias raciológicas, observa-se que elas floresceram sobretudo em meados do século XIX.[23] Retzius, anatomista e antropólogo sueco, desenvolve uma técnica para medidas cranianas em 1842. Pierre Borca funda a primeira sociedade de Antropologia em Paris em 1859, e se especializa em craniologia. Quatrefages é professor de anatomia e etnologia no Museu de História Natural de Paris em 1855 — seu livro *L'Espéce Humaine* é de 1877. O momento científico é de fundação de uma antropologia profissional que se volta para os estudos anatômicos e craniológicos, procurando responder assim às indagações a respeito das diferenças entre os homens. A questão não era nova, pelo contrário, já se encontrava em Spencer, Darwin e outros autores; no entanto, o que caracteriza as análises raciológicas de então é uma multiplicação de experiências empíricas que aparentemente legitimam o estatuto científico das teorias construídas. Este processo de legitimação é fundamental, pois o espírito positivista que predomina requer a confirmação empírica dos argumentos enunciados teoricamente. Meados do século é também o momento da vulgarização das ideias a respeito da evolução social e seu vínculo imediato com as premissas raciais. Gobineau publica *Essais sur les Inégalités des Races Humaines* em 1853-1855, Agassiz publica seu *Journey in Brazil* em1868. Esses dois autores terão uma influência direta junto aos intelectuais brasileiros na medida em que assimilam as teorias da época ao problema da mestiçagem brasileira.[24] Como viajantes ilustres — Gobineau era amigo íntimo do imperador D. Pedro II — são considerados como ponto de referência de toda e qualquer discussão a respeito da situação étnica.

Existe porém uma defasagem entre o tempo de maturação das teorias raciais (e suas vulgarizações) e o momento em que os intelectuais brasileiros escrevem. Entre meados e fins do século a

---

(23) Ver Walter Scheidt, "The Concept of Race in Anthropology".
(24) Sobre a influência de Gobineau e Agassiz ver Skidmore, op. cit.

CULTURA BRASILEIRA E IDENTIDADE NACIONAL

teoria raciológica sofre uma reviravolta com as críticas que vêm recebendo da parte de diferentes antropólogos. Um artigo de Boas, escrito em 1899, retrata claramente o impasse em que se encontram os estudos anatômicos e etnológicos das raças.[25] Na França, Paul Topinard, discípulo de Broca, estabelece a distinção entre raça e "tipo", e argumenta no sentido da dificuldade de se falar em raças biológicas. Escrevendo em 1892, coloca claramente a inconsciência de se assimilar a raça às nacionalidades: "The ethnographers would no longer have do busy themselves with anything but what is the direct object of their studies, as the etymology of their name would have its peoples: the manner of their historical formation; the languages they spoke; the socio-physiological characters they manifest; their manners and customs; their beliefs... One of the happiest results ofthis definition of territory would be once an for all the elimination from anthropology of this question of nationality which is none of its business".[26] Os estudos de Denicker — *Les Races de I'Europe* — vêm reforçar a crítica às antigas teorias raciais, uma vez que se considera o próprio conceito de raça como aplicável ao reino da zoologia mas não às sociedades humanas. É interessante observar que durante os anos 1990 já se desenvolvem os trabalhos de Boas (que terão influência posterior em Gilberto Freyre), onde a noção de raça cede lugar à noção de cultura. Por outro lado, neste mesmo período se dá a emergência da escola sociológica durkheimiana que terá influência decisiva no pensamento antropológico da época. L *'Année Sociologique* é fundada em 1896 e os principais trabalhos de Durkheim datam dessa época. A concepção durkheimiana de sociedade como fato *sui generis* orienta o estudo do social para uma perspectiva radicalmente diferente da problemática das raças ou do meio (por exemplo, Le Play).

Uma primeira conclusão se impõe. No momento em que as teorias raciológicas entram em declínio na Europa, elas se apresentam como hegemônicas no Brasil. Torna-se, assim, difícil sustentar a tese da "imitação", da "cópia" da última moda; existe na

---

(25) F. Boas, "Some Recent Criticism of Physical Anthropology", in *Race, Langage and culture*, Nova Iorque, McMillan, 1948.
(26) Paul Topinard, "On Race".

realidade uma defasagem entre o momento de produção cultural e o momento de consumo. Por outro lado, tem-se que esse consumo é diferenciado, Manuel Bonfim se volta para um autor como Topinard, a ponto de Skidmore se surpreender com seu conhecimento "atualizado" da literatura antropológica, Sílvio Romero prefere Agassiz ou Broca. O processo de "importação" pressupõe portanto uma escolha da parte daqueles que consomem os produtos culturais. A elite intelectual brasileira, ao se orientar para a escolha de escritores como Gobineau, Agassiz, Broca, Quatrefages, na verdade, não está passivamente consumindo teorias estrangeiras. Essas teorias são demandadas a partir das necessidades internas brasileiras, a escolha se faz, assim "naturalmente". O dilema dos intelectuais do final do século é o de construir uma identidade nacional. Para tanto é necessário se reportar às condições reais da existência do país. No prólogo à primeira edição de sua *História da Literatura Brasileira*, Sílvio Romero pondera: "Todo homem que empunha uma pena no Brasil deve ter uma vista assentada para tais assuntos, se ele não quer faltar a seus deveres, se não quer embair o povo".[27] Que assuntos são esses que preocupam a elite intelectual brasileira? A Abolição, o aproveitamento do escravo como proletário, a colonização estrangeira, a consolidação da República. Só é possível conceber um Estado nacional pensando-se os problemas nacionais. No entanto, se a Abolição significa o reconhecimento da falência de um determinado tipo de economia, ela não coincide ainda com a implantação real do trabalho livre, ou sequer apaga a tradição escravocrata da sociedade brasileira. Por outro lado, a nação vive o problema da imigração estrangeira, forma através da qual se procura resolver a questão da formação de uma economia capitalista. A questão da raça é a linguagem através da qual se aprende a realidade social, ela reflete inclusive o impasse da construção de um Estado nacional que ainda não se consolidou. Nesse sentido, as teorias "importadas" têm uma função legitimadora e cognoscível da realidade. Por um lado, elas justificam as condições reais de uma República que se implanta como nova forma de organização político-econômica; por outro, possibili-

---

(27) Sílvio Romero, op. cit., p. 22.

CULTURA BRASILEIRA E IDENTIDADE NACIONAL 31

tam o conhecimento nacional projetando para o futuro a construção de um Estado brasileiro. É interessante observar que a política imigratória, além de seu significado econômico, possui uma dimensão ideológica que é o branqueamento da população brasileira. O fato de este branqueamento se dar em um futuro, próximo ou remoto, está em perfeita adequação com a concepção de um Estado brasileiro enquanto meta. Retomando Roberto Schwartz, eu diria que as ideias "estão no seu devido lugar", uma vez que sua importação resolve, no nível intelectual, o dilema proposto.

Trabalhemos um pouco mais nosso argumento da escolha. Por volta de 1905, Sílvio Romero retoma seu estudo sobre a literatura brasileira, publicado em 1888, à luz de "novos" conceitos da escola de Ciência Social francesa — Le Play.[28] Curiosamente toma-se como referência um autor que escreve *Ouvriers Européens* em 1855 e *L 'organisation de la Famille* em 1871; não nos interessa porém retornarmos à questão da defasagem entre a produção e o consumo das ideias, o que importa é analisar com maiores detalhes o que estamos chamando de processo de escolha. Sílvio Romero se volta para Le Play por uma razão bastante simples: tem-se com esta escola uma argumentação científica mais sofisticada da ação do meio geográfico sobre os homens. Comparada às interpretações de Buckle, a escola francesa é mais completa e convincente. No entanto, ao se absorver os conceitos desta corrente, alguns problemas ressurgem. Le Play considera a questão racial dentro de uma perspectiva histórica, o que o leva a falar de "raça histórica". Isto significa que a raça seria um produto histórico, e não propriamente biológico, decorrente dos diversos fatores que teriam influenciado o homem ao longo de sua evolução. Para Sílvio Romero, aceitar um argumento desta natureza colocava um problema sério, pois a teoria praticamente contradizia a maioria dos diagnósticos a respeito da sociedade brasileira. É necessário, por isso, antes de se retomar os estudos de Le Play, que se faça uma discussão sobre a diferença entre "raça histórica" e "raça antropológica". Para Silvio Romero, a "raça antropológica" seria aquela vinculada aos parâmetros biológicos e que traria consigo as

---

(28) Sílvio Romero, op. cit., parte III.

32 RENATO ORTIZ

qualidades psicossociais das nacionalidades. Sílvio Romero não submete, porém, o pensamento de Le Play a uma critica fundamenta, realidade; sequer procura refutar essas "novas" teorias francesas, simplesmente coloca a questão em termos brasileiros. Na medida em que o Brasil não possui uma raça unitária (postulado aceito por todos), tem-se que o fator étnico é dominante, o que equivale a dizer que somente no futuro poderíamos ser uma "raça histórica".

Se analisarmos com um pouco mais de atenção o exemplo apresentado, poderemos descobrir alguns encadeamentos lógicos que presidem o pensamento do autor. Aceita-se primeiramente uma teoria "estrangeira" na medida em que ela possui algo em comum com outras teorias já utilizadas — no caso, a problemática do meio ambiente. No entanto, parte dessa teoria é ignorada, uma vez que entra em contradição com problemas que lhe são externos — a questão racial brasileira. O que faz Sílvio Romero? Escolhe um elemento do pensamento de Le Play para utilizá-lo como ilustração, isto é, agenciando-o segundo suas preocupações brasileiras. Comparado ao estudo da sociedade brasileira escrito em 1888, o de 1905 nada acrescenta de novo, uma vez que o núcleo de preocupações do autor permanece o mesmo; ele serve no entanto como repetição renovada de um objetivo já alcançado.

O pensamento dos precursores das Ciências Sociais no Brasil parece ser neste ponto muito semelhante ao fenômeno do sincretismo religioso.[29] Retomando uma definição de Bastide a respeito do sincretismo, eu havia trabalhado a lógica sincrética no interior dos cultos afro-brasileiros.[30] Basicamente tinha chegado à seguinte conclusão: o sincretismo se dá quando existe um sistema-partida (memória coletiva) que comanda a escolha e depois ordena, dentro de seu quadro, o objeto escolhido. Um exemplo. Santa Bárbara é lansã na medida em que existe uma memória

---

(29) Guerreiro Ramos, ao se referir aos intelectuais brasileiros, fala em sinoretismo das teorias estrangeiras. No entanto, para o autor a ideia de sincretismo é sinônimo de mistura. Ver "Nota para um Estudo Crítico da Sociologia", in *Introdução Crítica à Sociologia no Brasil*, Rio de Janeiro, Andes, 1957.
(30) R. Bastide, "Mémoire Collective et Sociologie du Bricolage", *L'Année Sociologique*, vol. 21, 1970; R. Ortiz, *A Consciência Fragmentada*, Rio de Janeiro, Paz e Terra, 1980.

CULTURA BRASILEIRA E IDENTIDADE NACIONAL 33

africana que escolhe, entre as santas católicas, aquela que possui um elemento analógico à divindade africana: a chuva. Isto não significa, porém, que o sistema africano de classificações se confunda com o sistema católico; a memória coletiva africana conserva sua autonomia mesmo que o elemento sincretizado provenha de uma fonte exterior a ela. O processo de pensamento de nossos intelectuais parece ser semelhante. Euclides da Cunha, por exemplo, abre uma das partes do capítulo "A Terra" citando Hegel a respeito da influência do meio geográfico sobre o homem. Surge a pergunta: mas como harmonizar a teoria hegeliana a uma perspectiva da raça e do meio? Por que não se escolhe junto ao pensamento hegeliano a parte relativa à dialética? Poder-se-ia afirmar que Euclides da Cunha "leu mal" Hegel, ignorando os elementos substanciais de sua doutrina; eu preferiria dizer que a leitura foi a mais conveniente possível. Na verdade, o que se fez foi selecionar em Hegel um elemento que já havia sido determinado *a priori* pelo sistema de preocupações de Euclides da Cunha. Hegel aparece simplesmente como ilustração da tese da influência do meio geográfico sobre os homens, ele seria um pouco o que Santa Bárbara é para os candomblés afro-brasileiros. Pode-se então dizer que a lógica que preside o pensamento de nossos intelectuais se decompõe em dois momentos: 1) escolhe-se entre os diferentes objetos a serem sincretizados, isto é, as teorias disponíveis, algumas dentre elas; 2) no interior dessas teorias selecionam-se os elementos considerados pertinentes pelo sistema-partida, no caso a problemática do nacional. O que é a memória coletiva para os africanos seria, para nós, a própria ideologia produzida pelos intelectuais. Neste ponto uma diferença se impõe em relação ao sincretismo religioso. A memória coletiva africana se aproxima mais do mito, uma vez que tende a permanecer idêntica a si mesma. Nos cultos afro-brasileiros procura-se reatualizar uma memória que existiria, em princípio, destes tempos imemoriais. O presente é uma rememorização do passado. O pensamento científico de nossos autores está mais próximo da ideologia. Ele é fabricado a partir de motivações reais vividas no presente, possuindo ainda a possibilidade de se projetar para o futuro. Mito e ideologia se apresentariam aqui como duas tendências contrapostas do conhecimento, a segunda se associando aos grupos dominantes que te-

34 RENATO ORTIZ

riam, em princípio, um projeto, ou a consciência do dilema da construção nacional.

Roberto Schwartz, ao estudar a obra de Machado de Assis, se refere à dualidade dos escritores brasileiros do período.[31] Existiria, por assim dizer, uma defasagem entre o discurso ideológico da classe dirigente e a própria realidade social. Este hiato entre as ideias e a sociedade decorreria, no entanto, de uma necessidade conjuntural e se imporia aos intelectuais como uma objetividade histórica. Vamos reencontrar essa mesma dualidade na esfera das teorias científicas consideradas. O que propõem os intelectuais do período é a construção de uma identidade de um Estado que ainda não é. As modificações realizadas na esfera socioeconômica (fim de uma economia escravagista, emergência de uma classe média) ainda não tinham se consolidado no interior de uma nova ordem social. Vivia-se um momento de transição e, neste sentido, as teorizações sobre a realidade brasileira refletiam necessariamente o impasse vivenciado. Guerreiro Ramos tem razão ao afirmar que os republicanos de 1870 e os positivistas estavam "impedidos" de compreender a realidade brasileira; é necessário, porém, estender o argumento a autores como Sílvio Romero, Nina Rodrigues e Euclides da Cunha. Na verdade, as Ciências Sociais da época reproduzem, no nível do discurso, as contradições reais da sociedade como um todo. A inferioridade racial explica o porquê do atraso brasileiro, mas a noção de mestiçagem aponta para a formação de uma possível unidade nacional. Neste sentido, as teorias elaboradas são mais "adequadas" que as de Manuel Bonfim; o Estado a que se refere este último será consolidado somente com a revolução de 1930. Talvez isto explique em parte o insucesso de um autor que na virada do século já se contrapunha à ideologia dominante das interpretações racistas. Era necessário esperar, porém, pelos anos que representam uma evolução decisiva da economia e da sociedade brasileiras e que correspondem a um momento de despertar nacionalista. A partir da Segunda Guerra Mundial se multiplicam os esforços para construção de uma consciência nacional, e uma sociedade como a "Propaganda Nativista",

---

(31) R. Schwarz, "Complexo, Moderno, Nacional e Negativo", Encontro de Grupo de Sociologia da Cultura, São Paulo, USP, 1981.

CULTURA BRASILEIRA E IDENTIDADE NACIONAL   35

fundada em 1919, poderá incluir em seu programa a adoção do princípio da igualdade das raças. A virada do século é ainda um momento de indecisão, o que faz com que os intelectuais das classes dominantes reproduzam, em níveis diferenciados, uma exigência histórica que transparece claramente no interior do discurso ideológico elaborado.

Da raça à cultura:
a mestiçagem e o nacional

Florestan Fernandes, ao tratar da questão racial no Brasil, afirmava que o brasileiro tem o preconceito de não ter preconceito.[1] Com esta *boutade* ele sintetizava toda uma situação na qual as relações raciais são obscurecidas pela ideologia da democracia racial. São vários os autores que têm insistido sobre o aspecto da questão racial, mas se é verdade que hoje existe uma ideologia da miscigenação democrática, é interessante observar que ela é um produto recente na história brasileira. Houve um tempo em que tínhamos preconceito *tout court*. Até a Abolição, o negro não existia enquanto cidadão, sua ausência no plano literário é tal que um autor pouco progressista como Sílvio Romero chega inclusive a denunciar esse descaso, que tinha consequências nefastas para as Ciências Sociais. Os primeiros estudos sobre o negro somente se iniciarão com Nina Rodrigues, já na última década do século XIX mas sob a inspiração das teorias raciológicas que vimos no capítulo anterior. Muito embora essas teorias sejam questionadas a

---

(1) Florestan Fernandes, *O Negro no Mundo dos Brancos*, São Paulo, Difel, 1972.

CULTURA BRASILEIRA E IDENTIDADE NACIONAL   37

partir da Primeira Guerra Mundial, sua influência é tal que um autor como Oliveira Viana pode, em plena década de 1920, desenvolver um pensamento fundamentado nas premissas racistas da virada do século.[2] Fica porém uma pergunta: qual a razão de uma mudança tão radical, que transubstancia o elemento mestiço, produto do cruzamento com uma raça considerada inferior, em categoria que apreende a própria identidade nacional? Creio que, se considerarmos as relações entre cultura e Estado, a questão pode ser melhor esclarecida.

Parece não haver dúvidas de que a ideologia de um Brasil- cadinho começa a se forjar no final do século XIX. Procuramos mostrar como a categoria de mestiço é, para autores como Sílvio Romero, Euclides da Cunha e Nina Rodrigues, uma linguagem que exprime a realidade social deste momento histórico, e que ela corresponde, no nível simbólico, a uma busca da identidade. O movimento romântico tentou construir um modelo de Ser nacional; no entanto, faltaram-lhe condições sociais que lhe possibilitassem discutir de forma mais abrangente a problemática proposta. Por exemplo, o *Guarani*, que é um romance que tenta desvendar os fundamentos da brasilidade, é um livro restritivo. Ao se ocupar da fusão do índio (idealizado) com o branco, ele deixa de lado o negro, naquele momento identificado somente à força de trabalho, mas até então destituído de qualquer realidade de cidadania. Por outro lado, o modelo que se utiliza para pensar a sociedade brasileira é o da Idade Média. Nisso o nosso romantismo se diferencia pouco do romantismo europeu, que se volta para o passado glorioso para entender o presente. Não foi por acaso que os estudos do folclore se fazem na direção oposta ao que se denominou na época os exageros do romantismo. No entanto, até mesmo nas análises do folclore, escritas na década de 1970, o elemento negro se encontra ausente. É interessante observar que os estudos de Sílvio Romero sobre a poesia popular trazem, em 1880, uma novidade em relação aos de Celso Magalhães, que são de 1873. O que Sílvio Romero critica neste autor é justamente a ausência da categoria do mestiço, o que o impossibilita de pensar o Brasil como um todo.[3]

---

(2) Oliveira Viana, *Evolução do Povo Brasileiro*, São Paulo, Cia. Ed. Nacional, 1938.
(3) Ver Silvio Romero, *Estudos de Poesia Popular no Brasil*, Petrópolis, Vozes, 1980.

38 RENATO ORTIZ

A escravidão colocava limites epistemológicos para o desenvolvimento pleno da atividade intelectual. Somente com o movimento abolicionista e as transformações profundas por que passa a sociedade é que o negro é integrado às preocupações nacionais. Pela primeira vez pode-se afirmar, o que hoje se constitui num truísmo, que o Brasil é o produto da mestiçagem de três raças: a branca, a negra e a índia.

É, portanto, na virada do século que se engendra uma "fábula das três raças", como a considera Roberto da Matta.[4] A ideia de fábula é sugestiva, mas talvez fosse mais preciso falarmos em mito das três raças. O conceito de mito sugere um ponto de origem, um centro a partir do qual se irradia a história mítica. A ideologia do Brasil-cadinho relata a epopeia das três raças que se fundem nos laboratórios das selvas tropicais. Como nas sociedades primitivas, ela é um mito cosmológico, e conta a origem do moderno Estado brasileiro, ponto de partida de toda uma cosmogonia que antecede a própria realidade. Sabemos em Antropologia que os mitos tendem a se apresentar como eternos, imutáveis, o que de uma certa forma se adequa ao tipo de sociedade em que são produzidos. Torna-se, assim, difícil apreender o momento em que são realmente elaborados. O antropólogo clássico opera sempre *a posteriori* e tem poucos elementos para fixar a origem histórica dos universos simbólicos. Numa sociedade como a nossa, o problema se coloca de maneira diferente; pode-se datar o momento da emergência da história mítica, e não é difícil constatar que essa fábula é engendrada no momento em que a sociedade brasileira sofre transformações profundas, passando de uma economia escravista para outra de tipo capitalista, de uma organização monárquica para republicana, e que se busca, por exemplo, resolver o problema da mão-de-obra incentivando-se a imigração europeia. Se o mito da mestiçagem é ambíguo é porque existem dificuldades concretas que impedem sua plena realização. A sociedade brasileira passa por um período de transição, o que significa que as teorias raciológicas, quando aplicadas ao Brasil, permitem aos in-

---

(4) Roberto da Mata, *Relativizando*, Petrópolis, Vozes, 1981.

CULTURA BRASILEIRA E IDENTIDADE NACIONAL 39

telectuais interpretar a realidade, mas não modificá-la. Em jargão antropológico eu diria que o mito das três raças não consegue ainda se ritualizar, pois as condições materiais para a sua existência são puramente simbólicas. Ele é linguagem e, não, celebração.

Quando se lê um livro como O *Cortiço*, publicado em 1880, pode-se perceber as dificuldades que rondam os intelectuais na interpretação de uma sociedade como a nossa. O destino que Aluísio Azevedo reserva a um dos personagens centrais da trama literária, Jerônimo, é exemplar. Jerônimo, imigrante português, chega ao Brasil com todos os atributos conferidos à raça branca: força, persistência, previdência, gosto pelo trabalho, espírito de cálculo. Sua aspiração básica: subir na vida. Porém, ao se amasiar com uma mulata (Rita Baiana), ao se "aclimatar" ao país (troca a guitarra pelo violão baiano, o fado pelo samba), ele se abrasileira, isto é, torna-se dengoso, preguiçoso, amigo das extravagâncias, sem espírito de luta, de economia e de ordem. No início do romance, Jerônimo ocupa a mesma posição social que João Romão, outro português que participa também das qualidades étnicas da raça branca. É bem verdade que Aluísio Azevedo apresenta João Romão com grande desprezo; ele não se deixa seduzir pelo caráter alegre e sensual do mulato brasileiro. No entanto o desfecho do romance é parabólico. João Romão, calculista e ambicioso, ascende socialmente no momento em que se distancia da raça negra (ele se desvencilha da negra Bertoleza, com quem viveu grande parte de sua vida); Jerônimo, ao se abrasileirar, não consegue vencer a barreira de classe, e permanece "mulato", junto à população mestiça do cortiço. Em linguagem sociológica, Simmel diria que as qualidades atribuídas à raça branca são aquelas que determinam a racionalidade do espírito capitalista. Ao se retirar do mestiço as qualidades da racionalidade, os intelectuais do século XIX estão negando, naquele momento histórico, as possibilidades de desenvolvimento real do capitalismo no Brasil. Ou melhor, eles têm dúvidas em relação a esse desenvolvimento, pois a identidade forjada é ambígua, reunindo pontos positivos e negativos das raças que se cruzam.

A partir das primeiras décadas do século XX, o Brasil sofre mudanças profundas. O processo de urbanização e de industriali-zação se acelera, uma classe média se desenvolve, surge um pro-

40 RENATO ORTIZ

letariado urbano. Se o modernismo é considerado por muitos como um ponto de referência, é porque este movimento cultural trouxe consigo uma consciência histórica que até então se encontrava de maneira esparsa na sociedade. Ao se cantar o *fox-trot*, o cinema, o telégrafo, as asas do avião, o que se estava fazendo era de fato apontar para uma gama de transformações que ocorriam no seio da sociedade brasileira. Com a Revolução de 1930, as mudanças que vinham ocorrendo são orientadas politicamente, o Estado procurando consolidar o próprio desenvolvimento social. Dentro deste quadro, as teorias raciológicas tornam-se obsoletas; era necessário superá-las, pois a realidade social impunha um outro tipo de interpretação do Brasil. A meu ver, o trabalho de Gilberto Freyre vem atender a esta "demanda social".

Carlos Guilherme Mota, em seu livro *Ideologia da Cultura Brasileira*, considera que os anos 1930 foram decisivos na reorientação da historiografia brasileira. Partindo de um testemunho de Antônio Cândido, ele analisa três obras mestras desse período: *Evolução Política do Brasil*, de Caio Prado Jr. (1933), *Casa Grande e Senzala*, de Gilberto Freyre (1933), e *Raízes do Brasil*, de Sérgio Buarque de Holanda (1936). A colocação, tal como está formulada, se tornou clássica. Eu me pergunto, no entanto, se ao considerarmos desta forma não estaríamos tomando o testemunho de um autor pela própria explicação histórica. A meu ver, Sérgio Buarque e Caio Prado Jr. estão na origem de uma instituição recente da sociedade brasileira, a universidade. Neste sentido eles são fundadores de uma nova linhagem, que busca no universo acadêmico uma compreensão distinta da realidade nacional. Não é por acaso que a USP é fundada nos anos 1930; ela corresponde à criação de um espaço institucional onde se ensinam técnicas e regras específicas ao universo acadêmico. Gilberto Freyre representa o ápice de uma outra estirpe, que se inicia no século anterior, mas que, como veremos nos outros capítulos, se prolongou até hoje como discurso ideológico. Sérgio Buarque e Caio Prado Jr. significam rupturas não tanto pela qualidade de pensamento que produzem, mas sobretudo pelo espaço social que criam e que dá suporte às suas produções. Gilberto Freyre representa continuidade, permanência de uma tradição, e não é por acaso que ele vai produzir seus escritos fora desta instituição "moderna" que é a

CULTURA BRASILEIRA E IDENTIDADE NACIONAL 41

universidade, trabalhando numa organização que segue os moldes dos antigos Institutos Históricos e Geográficos. Não há ruptura entre Sílvio Romero e Gilberto Freyre, mas reinterpretação da mesma problemática proposta pelos intelectuais do final do século. Arthur Ramos dizia que para se ler Nina Rodrigues bastava trocar o conceito de raça pelo de cultura.[5] A afirmação pode talvez parecer simplista, mas creio que encerra uma boa dose de veracidade. Gilberto Freyre reedita a temática racial, para constituí-la, como se fazia no passado, em objeto privilegiado de estudo, em chave para a compreensão do Brasil. Porém, ele não vai mais considerá-la em termos raciais, como faziam Euclides da Cunha ou Nina Rodrigues; na época em que escreve, as teorias antropológicas que desfrutam do estatuto científico são outras, por isso ele se volta para o culturalismo de Boas. A passagem do conceito de raça para o de cultura elimina uma série de dificuldades colocadas anteriormente a respeito da herança atávica do mestiço. Ela permite ainda um maior distanciamento entre o biológico e o social, o que possibilita uma análise mais rica da sociedade. Mas a operação que *Casa Grande e Senzala* realiza vai mais além. Gilberto Freyre transforma a negatividade do mestiço em positividade, o que permite completar definitivamente os contornos de uma identidade que há muito vinha sendo desenhada. Só que as condições sociais eram agora diferentes, a sociedade brasileira já não mais se encontrava num período de transição, os rumos do desenvolvimento eram claros e até um novo Estado procurava orientar essas mudanças. O mito das três raças torna-se então plausível e pode-se atualizar como ritual. A ideologia da mestiçagem, que estava aprisionada nas ambiguidades das teorias racistas, ao ser reelaborada pode difundir-se socialmente e se tornar senso comum, ritualmente celebrado nas relações do cotidiano, ou nos grandes eventos como o carnaval e o futebol. O que era mestiço torna-se nacional.

Eu havia afirmado anteriormente que a obra de Gilberto Freyre atendia a uma "demanda social" determinada. Não quero com isto estabelecer uma ação mecânica entre o autor e sua obra. Tenho clara para mim a observação de Sartre de que se Paul Valéry é um burguês,

---

(5) Ver Arthur Ramos, *Le Métissage au Brésil*, Paris, Hermann, 1952.

42 RENATO ORTIZ

nem todo burguês é Valéry. O problema que procuro tratar é outro. O que me interessa discutir não é o trabalho de Gilberto Freyre como um todo, que é certamente multifacetado — por exemplo, sua aproximação antropológica da história, sua tentativa de analisar historicamente a sexualidade etc. É o tema da cultura brasileira, da mestiçagem, que é relevante para a discussão. Neste sentido cabe entendermos como a continuidade do pensamento tradicional se inscreve na descontinuidade dos anos 1930. Existe hoje um certo tabu em torno de Gilberto Freyre que dificulta a apreciação de seus escritos. Frequentemente a argumentação se encerra num círculo vicioso. Ele é um autor genial porque escreveu *Casa Grande e Senzala*, e vice-versa: trata-se de um grande livro porque foi escrito por Gilberto Freyre. Colocar a questão da continuidade do passado no momento de reorganização do Estado brasileiro é, na verdade, procurar fora da obra as razões do sucesso do livro. Muito embora existam contradições internas entre a estrutura da obra e o Estado centralizador (abordaremos este tema no capítulo sobre Estado autoritário e Cultura), o livro possui uma qualidade fundamental: ele une a todos, casa-grande e senzala, sobrados e mucambos. Por isso ele é saudado por todas as correntes políticas, da direita à esquerda. O livro possibilita a afirmação inequívoca de um povo que se debatia ainda com as ambiguidades de sua própria definição. Ele se transforma em unicidade nacional. Ao retrabalhar a problemática da cultura brasileira, Gilberto Freyre oferece ao brasileiro uma carteira de identidade. A ambiguidade da identidade do Ser nacional forjada pelos intelectuais do século XIX não podia resistir mais tempo. Ela havia se tornado incompatível como processo de desenvolvimento econômico e social do país. Basta lembrarmos que nos anos 1930 procura-se transformar radicalmente o conceito de homem brasileiro. Qualidades como "preguiça", "indolência", consideradas como inerentes à raça mestiça, são substituídas por uma ideologia do trabalho. Os cientistas políticos mostram, por exemplo, como esta ideologia se constituiu na pedra de toque do Estado Novo.[6] O mesmo processo pode ser identificado na ação cultural do governo de Vargas, por exemplo, na ação que se estabelece

---

(6) Ver Lúcia Lippi (coord.), *Elite Intelectual e Debate Político nos Anos 30*, Rio de Janeiro, Ed. Fundação Getúlio Vargas, 1980,

CULTURA BRASILEIRA E IDENTIDADE NACIONAL 43

em direção à música popular. É justamente nesse período que a música da malandragem é combatida em nome de uma ideologia que propõe erigir o trabalho como valor fundamental da sociedade brasileira.[7] O que se assiste neste momento é, na verdade, uma transformação cultural profunda, pois se busca adequar as mentalidades às novas exigências de um Brasil "moderno". Ao mulato de Aluísio de Azevedo se contrapõe a positividade do mestiço, que diferentes setores sociais procuram orientar para uma ação racional mais compatível com a organização social como um todo. Não tenho dúvidas de que esta ideologia do trabalho se encontra ausente do texto de Gilberto Freyre. O que quero mostrar é que a operação *Casa Grande e Senzala* possibilita enfrentar a questão nacional em novos termos. Daí eu ter afirmado que o sucesso da obra se encontra também fora dela. Ao permitir ao brasileiro se pensar positivamente a si próprio, tem-se que as oposições entre um pensador tradicional e um Estado novo não são imediatamente reconhecidas como tal, e são harmonizadas na unicidade da identidade nacional.

O mito das três raças, ao se difundir na sociedade, permite aos indivíduos, das diferentes classes sociais e dos diversos grupos de cor, interpretar, dentro do padrão proposto, as relações raciais que eles próprios vivenciam. Isto coloca um problema interessante para os movimentos negros. À medida que a sociedade se apropria das manifestações de cor e as integra no discurso unívoco do nacional, tem-se que elas perdem sua especificidade. Tem-se insistido muito sobre a dificuldade de se definir o que é o negro no Brasil. O impasse não é a meu ver simplesmente teórico, ele reflete as ambiguidades da própria sociedade brasileira. A construção de uma identidade nacional mestiça deixa ainda mais difícil o discernimento entre as fronteiras de cor. Ao se promover o samba ao título de nacional, o que efetivamente ele é hoje, esvazia-se sua especificidade de origem, que era ser uma música negra. Quando os movimentos negros recuperam o *soul* para afirmar a sua negritude, o que se está fazendo é uma importação de matéria simbólica

---

(7) Ver Ruben Oliven, *Violência e Cultura no Brasil*, Petrópolis, Vozes, 1982; e Claudia Matos, *Acertei no Milhar: Samba e Malandragem no Tempo de Getúlio*, Rio de Janeiro, Paz e Terra, 1982.

que é ressignificada no contexto brasileiro. É bem verdade que o soul não supera as contradições de classe ou entre países centrais e periféricos, mas eu diria que de uma certa forma ele "serve" melhor para exprimir a angústia e a opressão racial do que o samba, que se tornou nacional. O problema com que os movimentos negros se deparam é de como retomar as diversas manifestações culturais de cor, que já vêm muitas vezes marcadas com o signo da brasilidade. Uma vez que os próprios negros também se definem como brasileiros tem-se que o processo de ressignificação cultural fica problemático. O mito das três raças é, neste sentido, exemplar: ele não somente encobre os conflitos raciais como possibilita a todos de se reconhecerem como nacionais.

Alienação e cultura: o ISEB

Roland Corbisier costumava dizer que antes do movimento modernista o que tínhamos no Brasil era simplesmente pré-história. A afirmação, de inspiração hegeliana, mostra como os intelectuais dos anos 1950 estabeleciam sua filiação a uma corrente de pensamento distinta daquela representada por Sílvio Romero ou Gilberto Freyre. Os isebianos, ao construírem uma teoria do Brasil, retomam a temática da cultura brasileira, mas vão imprimir novos rumos à discussão. Vimos como o conceito de raça cede lugar ao de cultura; é necessário agora compreendermos como nos anos 1950 o conceito de cultura é remodelado. Contrários a uma perspectiva antropológica, que toma o culturalismo americano como modelo de referência, os intelectuais do ISEB analisam a questão cultural dentro de um quadro filosófico e sociológico. A crítica que Guerreiro Ramos faz do estudo do negro realizado por autores como Arthur Ramos revela uma posição epistemológica diferente daquela proposta anteriormente. Categorias como "aculturação" são pouco a pouco substituídas por outras como "transplantação cultural", "cultura alienada" etc. Seguindo os passos da sociologia e da filosofia alemãs, Manheim e Hegel, por exemplo, os isebianos dirão que cultura significa as objetivações do espírito humano. Mas eles insistirão sobretudo no fato de que a cultura significa um vir a

46 RENATO ORTIZ

ser. Neste sentido eles privilegiarão a história que está por ser feita, a ação social, e não os estudos históricos; por isso, temas como projeto social, intelectuais, se revestem para eles de uma dimensão fundamental. Ao se conceber o domínio da cultura como elemento de transformação socioeconômica, o ISEB se afasta do passado intelectual brasileiro e abre perspectivas para se pensar a problemática da cultura brasileira em novos termos.

A leitura dos isebianos nos traz um misto de sentimento de atualidade e passado sem que muitas vezes saibamos nos situar de maneira segura no tempo. Quando, nos artigos de jornais, nas discussões políticas ou acadêmicas, deparamos com conceitos como "cultura alienada", "colonialismo" ou "autenticidade cultural", agimos com uma naturalidade espantosa, esquecendo-nos de que eles foram forjados em um determinado momento histórico e, creio eu, produzidos pela *intelligentsia* do ISEB. Penso que não seria exagero considerar o ISEB como matriz de um tipo de pensamento que baliza a discussão da questão cultural no Brasil dos anos 1960 até hoje. O livro de Corbisier *Formação e Problema da Cultura Brasileira* é, neste sentido, paradigmático, pois desenvolve filosoficamente uma argumentação que se tornou familiar nos meios do cinema, do teatro, da literatura e da música.[1] Apesar de alguns estudos recentes estabelecerem uma crítica profunda da ideologia dos intelectuais isebianos, o trabalho de Caio Navarro Toledo é pioneiro e abre uma perspectiva nova, permanece um descompasso entre a realidade e a crítica, uma vez que os conceitos são articulados no nível político e a crítica é sobretudo de caráter filosófico.[2] Eu diria que o que é atual no pensamento do ISEB é justamente que ele não se constitui em "fábrica de ideologia" do governo Kubitscheck. Se de fato o Estado desenvolvimentista procurou uma legitimação ideológica junto a um determinado grupo de intelectuais, não é menos verdade que os avatares desta ideologia cami-

---

(1) Roland Corbisier, *Formação e Problema da Cultura Brasileira*, Rio de Janeiro, *ISEB*, 1958.

(2) Ver o excelente trabalho de Caio Navarro Toledo, *ISEB: Fábrica de Ideologias*, São Paulo, Ática, 1977. Dentro da mesma linha, Maria Silvia Carvalho Franco, "O Tempo das Ilusões", in *Ideologia e Mobilização Popular*, Rio de Janeiro, Paz e Terra, 1978.

CULTURA BRASILEIRA E IDENTIDADE NACIONAL 47

nharam em um sentido oposto ao do Estado brasileiro. O período Kubitscheck se caracteriza por uma internacionalização da economia brasileira justamente no momento em que se procura "fabricar" um ideário nacionalista para se diagnosticar e agir sobre os problemas nacionais. Por outro lado, o golpe de 1964 encerrou, definitiva e autoritariamente, as atividades deste grupo de intelectuais.[3] O que se propunha, portanto, como ideologia reformista da classe dirigente que procurava modernizar o país é estancado e, paradoxalmente, no momento em que o capitalismo brasileiro irá tomar uma força até então nunca vista em nossa história. A crítica que Maria Sílvia Carvalho Franco faz a Álvaro Vieira Pinto sobre sua concepção da alienação do trabalho é correta;[4] ele certamente não percebe que, ao erigir a nação como categoria central de reflexão, encobre as diferenças de classe e elabora uma ideologia que unifica capitalista e trabalhadores. Porém, apesar da justeza da crítica, seria difícil argumentar que esta ideologia serviu de algum modo para que se desse uma hegemonia da classe dirigente no país. Para que isso pudesse ocorrer, seria necessário que os trabalhadores internalizassem a ideologia produzida; a própria história se encarregou de eliminar no entanto essa possibilidade. O golpe de 1964 erradicou qualquer pretensão de oficialidade das teorias do ISEB; entretanto, curiosamente, esta ideologia encontrou um caminho de popularização que ganhou pouco a pouco terreno junto aos setores progressistas e de esquerda. A meu ver esta é a atualidade de um pensamento datado, produzido por um grupo de intelectuais, mas que se popularizou, isto é, tornou-se senso comum e se transformou em "religiosidade popular" nas discussões sobre cultura brasileira.

Na esfera cultural a influência do ISEB foi profunda. Ao me referir a este pensamento como matriz, o que procurava descrever é que toda uma série de conceitos políticos e filosóficos que são elaborados no final dos anos 1950 se difundem pela sociedade e passam a constituir categorias de apreensão e compreensão da realidade brasileira. No início dos anos 1960 dois movimentos realizam,

---

(3) Ver N. W. Sodré, *A Verdade sobre o Iseb*, Rio de Janeiro, Avenir Ed., 1978.
(4) M. S. Carvalho Franco, op. cit.

48 RENATO ORTIZ

de maneira diferenciada, é claro, os ideais políticos tratados teoricamente pelo ISEB. Refiro-me ao Movimento de Cultura Popular no Recife e ao CPC da UNE. Se tomarmos, a título de referência, dois intelectuais proeminentes desses movimentos, Paulo Freire e Carlos Estevam Martins, observamos que as relações com o ISEB são substanciais. Carlos Estevam foi assistente de Álvaro Vieira Pinto e trabalhava no ISEB no momento em que assume a direção do CPC.[5] As filiações do pensamento de Paulo Freire com o ISEB são conhecidas; Vanilda Paiva mostra muito bem como a filosofia existencialista, o conceito de cultura e de popular orientam diretamente seu método de alfabetização.[6] Não resta dúvida de que existem matizes entre as duas abordagens, no entanto, creio que se pode genericamente afirmar que os dois movimentos se construíram em grande parte com base no conceito de alienação cultural. A teoria isebiana, ou pelo menos parte dela, penetra tanto as forças de esquerda marxista quanto o pensamento social católico. Um instrumento teórico que era posse exclusiva de alguns intelectuais da cultura brasileira se distribui socialmente e, gradativamente, é integrado nas peças teatrais (*Auto dos 99%*, por exemplo), na música (*Trilhãozinho*), e nas cartilhas escolares. Mas a influência isebiana ultrapassa o terreno da chamada cultura popular, ela se insinua em duas áreas que são palco permanente de debate sobre a cultura brasileira: o teatro e o cinema. É suficiente ler os textos de Guarnieri e de Boal sobre o teatro nacional para se perceber o quanto eles devem aos conceitos de cultura alienada, de popular e de nacional. Fala-se, assim, na necessidade de se implantar um "teatro nacional" em contraposição a um "teatro alienado", cujo modelo seria o Teatro Brasileiro de Comédia; em algumas passagens, figuras de expressão do ISEB, como Guerreiro Ramos, são explicitamente citadas nos textos.[7] Não se deve esquecer de que esses textos analíticos formaram a base de um pensa-

---

(5) Sobre o CPC, ver o cap. 3 deste livro e o trabalho de Manuel Berlinck, "Projeto para Cultura Brasileira nos Anos 60", Unicamp, mimeo.
(6) V. Paiva, *Paulo Freire* e o *Nacionalismo Desenvolvimentista*, Rio de Janeiro, Civilização Brasileira, 1980.
(7) G. Guarnieri, "O Teatro como Expressão da Realidade Nacional", e A. Boal, "Tentativa de Análise de Desenvolvimento do Teatro Brasileiro", *Arte em Revista*, n.° 6, 1980.

CULTURA BRASILEIRA E IDENTIDADE NACIONAL   49

mento que informa toda uma dramaturgia que se desenvolve na época. Na área cinematográfica dois documentos situam de maneira exemplar a influência isebiana: *Uma Situação Colonial*, de Paulo Emílio Salles Gomes, e *Uma Estética da Fome*, de Glauber Rocha.[8] O diagnóstico de Paulo Emílio sobre a alienação do cinema brasileiro marca toda uma série de análises sobre a problemática do cinema nacional. Ele ressurge, por exemplo, na proposta de realização de um cinema novo. Pode-se dizer que até mesmo o debate sobre a bossa nova é marcado pela discussão da alienação ou não da importação do *jazz* pela música brasileira.[9]

Se aceitarmos as críticas que atualmente fazemos à ideologia do ISEB — e eu partilho integralmente desse ponto de vista —, um aspecto resta a compreender. Como essa filosofia pode se materializar enquanto tal, e, mais ainda, se popularizar a ponto de ser determinante em qualquer discussão sobre a questão cultural?[10] Se não respondermos corretamente a esta pergunta, o que nos é imediatamente sugerido é que essa ideologia seria pura e simplesmente uma insensatez. Neste ponto eu me separo das análises de Caio Navarro Toledo e de Maria Sílvia Carvalho Franco. Não creio que os escritos do ISEB sejam um "coquetel filosófico", "uma distorção do idealismo", "um arranjo indigenista" do marxismo, e muito menos uma "leitura sem rigor" dos textos. Seria difícil, dentro desta perspectiva, entender o porquê da hegemonia de um pensamento que se difunde praticamente em toda a esquerda brasileira. Se o período Kubitscheck é um tempo de ilusões, é necessário descobrir a que realidade essas ilusões correspondiam.

A comparação com Fanon, que me proponho desenvolver, vem no sentido de responder a essa indagação. É importante, po-

---

(8) Ver P. E. Salles Gomes e Glauber Rocha em *Arte em Revista*, n.° 1, 1979.
(9) Ver "Debate: Caminhos da MPB", *Arte em Revista*, n°. 1.
(10) Caio Toledo observa que nos escritos de N. W. Sodré o conceito de alienação raramente aparece. Na verdade, em seu estudo sobre as "Raízes Históricas do Nacionalismo no Brasil" (ISEB, 1959), ele utiliza, ao discutir o problema cultural, o conceito de transplantação. No entanto, em seu livro "Síntese de uma História da Cultura Brasileira", Rio de Janeiro, Civilização Brasileira, 1970, a problemática da cultura alienada surge com toda sua expressão. O mesmo acontece com Darcy Ribeiro, que em *Os Brasileiros*, livro de 1969, retoma o pensamento isebiano no que diz respeito à alienação e à questão da consciência.

50 RENATO ORTIZ

rém, antes de iniciarmos nossa análise, dissiparmos possíveis dúvidas que possam surgir. Não estou insinuando que exista uma filiação direta entre o pensamento de Fanon e dos intelectuais do ISEB, algo como uma influência de um sobre outro. Tudo indica que os trabalhos de Fanon são elaborados sem maiores conexões com os pensadores nacionalistas brasileiros. Mas é justamente essa independência de pensamentos que torna o problema mais interessante. A referência a um tipo de ideologia não brasileira introduz novos elementos para a compreensão do discurso isebiano e nos permite entender como a história penetra e estrutura o próprio discurso político. Por outro lado, ela dá uma abrangência maior à discussão da problemática do nacional, pois não se restringe à particularidade do quadro brasileiro.

Aventuras e desventuras das ideias

O que chama a atenção nos escritos de Fanon e do ISEB é que ambos se estruturam a partir dos mesmos conceitos fundamentais: o de alienação e o de situação colonial. As fontes originárias são também, nos dois casos, idênticas: Hegel, o jovem Marx, Sartre e Balandier. A categoria de alienação, de origem hegeliana, se reveste nos textos de uma acentuada interpretação francesa do idealismo alemão. É que a obra de Hegel, traduzida e comentada por Hyppolite e Kojève nos anos 1940, difunde pouco a pouco uma compreensão do sistema hegeliano calcada na problemática da alienação. A dialética do senhor e do escravo torna-se assim clássica nas discussões sobre a dominação social, econômica e cultural. Paralelamente, é neste período que é traduzido para o francês *Manuscritos de 44*, onde Marx retoma o pensamento hegeliano sobre a alienação para aplicá-lo à compreensão da luta de classes.[11] Sua análise profundamente humanista irá reforçar a interpretação de Hegel proposta pelos exegetas franceses. Cabe lembrar que a questão do humanismo torna-se o eixo central das discussões que

---

(11) Sobre a presença de Hegel na França, consultar Mark Poster, *Existential Marxism in Postwar France*, Nova Jersey, Princeton, Univ. Press, 1977. Ver ainda Kojeve, *Introduction a la Lecture de Hegel*, Paris, 1946, e J. Hyppolite, *Génese et structure de la Phénomenologie de l'Esprit de Hegel*, Paris, 1946.

CULTURA BRASILEIRA E IDENTIDADE NACIONAL 51

se realizam no final dos anos 1940 junto à comunidade intelectual francesa.

O célebre livro de Sartre *L'Existentialisme est un Humanisme* é somente um dos escritos que enfatizam a dimensão humana da libertação, e mostra que o debate entre marxismo e existencialismo se realiza sob o signo do humanismo.[12] O debate terá influências diretas em Fanon, que não hesitará em pensar a libertação nacional em termos de humanização universal do próprio homem. As repercussões são também nítidas nos pensadores do ISEB, e Álvaro Vieira Pinto não deixa de considerar o problema em seu livro *Consciência e Realidade Nacional*.[13]

O conceito de situação colonial foi praticamente elaborado por Balandier que, em 1951, publica um primeiro artigo a esse respeito nos *Cahiers Internationaux de Sociologie*.[14] Sartre, que muitas vezes é apresentado como um dos elaboradores do conceito, publica *Le Colonialisme est un Système*, em data bem posterior (1956), mas seu texto terá certamente influências tanto em Fanon quanto nos isebiano.[15] A originalidade de Balandier consiste em apreender o colonialismo enquanto fenômeno social total. Bom leitor de Mauss, ele procura se afastar das visões particularistas dos antropólogos anglo-saxões (aqui talvez devêssemos sublinhar duas exceções, Glucksman e Fortes), e tenta pela primeira vez compreender o contato entre civilizações dentro de uma perspectiva globalizante que leve em consideração os diferentes níveis da realidade: social, econômico, político, cultural e até mesmo psíquico. Neste sentido, Balandier procura entender os aspectos da dominação colonialista, seja no nível do imperialismo econômico seja em suas manifestações mais profundas que engendram a própria personalidade do homem colonizado. Ele retoma assim os estudos de

---

(12) A polêmica entre Sartre e Lukács é conhecida de todos; no entanto, pode-se compreender o quanto a discussão sobre o humanismo era central quando notamos que um autor menor, membro do PCF, escreve, para refutar Sartre, um livro-resposta, *L 'Existentialisme n'est pas un Humanisme*, J. Kanapa, Paris, 1947.

(13) A. V. Pinto, *Consciência e Realidade Nacional*, Rio de Janeiro, ISEB,1960.

(14) G. Balandier, "La Situation Coloniale: Aproche Théorique", *Cahiers Internationaux de Sociologie*, n°. XI, 1951.

(15) Sartre, "Le Colonialisme est un Systême", *Les Temps Modernes*, n.° 123, março-abril de 1956.

RENATO ORTIZ

O. Mannoni, que descrevem o complexo de inferioridade do africano, sua personalidade calcada no ressentimento, e chega até mesmo a esboçar uma tipologia de reações subjetivas ao colonialismo, chamando a atenção, por exemplo, para os movimentos messiânicos africanos com um tipo de reação à dominação colonial. Balandier irá mais longe em suas análises, e talvez seja o primeiro intelectual que associe o conceito de alienação ao de situação colonial. Muito embora esta questão não seja o cerne de sua abordagem, ele traz o problema da "tomada da consciência" e o vincula diretamente à dialética do senhor e do escravo. Procurando entender as revoltas malgaches e a revolução chinesa, ele pergunta: como os habitantes dessas regiões, que se comportavam passivamente em relação às organizações socioculturais tradicionais, foram capazes de se revoltar? Ao que responde: nesses casos "a consciência é apreendida numa situação social que se desenvolve acusando as relações de dominador a dominado, os antagonismos entre esses dois termos — ela conduz a uma tomada de consciência que aspira a uma transformação radical da situação, a um progresso. Isto Hegel já exprimiu afirmando que a servidão do trabalhador é a fonte de todo progresso humano, social e histórico. Marx, em seguida, anunciou o papel histórico do proletariado, papel que não depende somente da evolução das forças produtivas materiais e das relações de produção, mas ainda de uma tomada de consciência que permite constituir o proletariado em classe. O que mostra a importância a se dar à noção de consciência dependente".[16] Esta ênfase no aspecto da tomada de consciência está, por sinal, em perfeita consonância com os ensinamentos filosóficos de Sartre que, em seu estudo sobre a questão judia, vai trabalhar o problema da autenticidade e da inautenticidade do homem judeu.[17] Balandier não se limita, porém, aos aspectos subjetivos da situação colonial, mas procura entendê-la em sua totalidade. Seu diagnóstico, de que as sociedades coloniais seriam "globalmente

---

(16) G. Balandier, "Contribution à une Sociologie de la Dépendance", in *Cahiers Internationaux de Sociologie*, n.° XII, 1952.

(17) Ver Sartre, *Reflexions sur la Question Juive*, Paris, Gallimard. Este livro é paradigmático para Fanon quando escreve *Peau Noire Masques Blancs*, Paris, Seuil, 1952.

CULTURA BRASILEIRA E IDENTIDADE NACIONAL 53

alienadas", servirá de ponto de partida para o ensaio de Corbisier sobre a cultura brasileira.

No entanto, uma vez ressaltada a importância de sua contribuição, é necessário sublinhar que as preocupações de Balandier são distintas dos intelectuais e dos ensaístas políticos do mundo periférico. A conclusão de um outro artigo seu, que procura dar um balanço das análises sobre o complexo colonial, revela o caráter pronunciadamente acadêmico de seus estudos, que estão mais preocupados em pensar como a sociologia e a economia política podem retirar maiores ensinamentos da observação científica dos efeitos da dominação colonial .[18] Sua polêmica com Malinowski, sua insistência em compreender a situação colonial enquanto "fenômeno social total" mostram que seus interesses, embora possuam uma dimensão política, têm sobretudo um caráter acadêmico. As análises de Sartre se revestem sem dúvida de uma outra coloração. *Les Temps Modernes* é uma das poucas revistas de esquerda que denunciam o colonialismo em todos os sentidos, e não hesita em tomar partido contra o pensamento colonialista dominante na época até mesmo no interior dos partidos Comunista e Socialista franceses. Mas os interlocutores de Sartre são europeus, a quem ele procura mostrar por todos os meios a mistificação da moral colonialista. No prefácio ao livro de Memmi, Sartre faz uma bela análise do processo de desumanização do oprimido, mostrando que o colonizado é tratado como coisa pelo colonizador.[19] E conclui: "A impossível desumanização do oprimido volta-se e transforma-se em alienação do opressor"; eu diria que é este o objeto privilegiado por Sartre em sua luta anticolonialista, a alienação do colonizador. Os intelectuais do mundo periférico falarão pelo "outro lado", seja de uma forma reformista como o ISEB ou revolucionária como Fanon.

Os conceitos de alienação e de situação colonial são retomados pelo ISEB e por Fanon dentro de uma perspectiva política que

---

(18) G Balandier, "Sociologie de la Colonisation et Relations entre Sociétés Globales", in *Cahiers Internationaux de Sociologie*, n.° XVII, 1954.

(19) Sartre, "Retrato do Colonizado Precedido do Retrato do Colonizador", prefácio ao livro de Albert Memmi, in *Situações V*, Rio de Janeiro, Tempo Brasileiro, 1968. O livro de Memmi foi traduzido para o português com prefácio de R. Corbisier, Paz e Terra, 1967.

54 RENATO ORTIZ

aponta para a superação da dominação colonialista. É verdade que esta superação será concebida de maneira diferenciada, como procuraremos mostrar mais adiante, mas o que é importante frisar no momento é que tanto o ISEB quanto Fanon, ao operarem com os conceitos propostos, vão subsumi-los à realidade objetiva que vivem enquanto atores sociais. A categoria de nação está ausente tanto em Sartre quanto em Balandier, ela é no entanto fundamental para os pensadores do mundo periférico. A superação colonialista só pode ser pensada quando associada aos movimentos nacionalistas concretos aos quais os teóricos políticos estão vinculados organicamente. É dentro deste quadro de pensamento que Corbisier pode construir toda uma abordagem da cultura brasileira a partir da afirmação de Balandier de que a "alienação constitui a essência do complexo colonial".[20] Fanon caminha na mesma direção, em seu livro *Peau Noire Masques Blancs*, considera a problemática da alienação no que se refere à questão racial. Neste momento de sua vida ele ainda não passou pelo processo de engajamento político, o que só ocorrerá em meados dos anos 1950, quando passa a clinicar na Argélia e se integra à luta pela libertação nacional.[21] Por isso a categoria de nação se encontra ainda ausente deste seu texto. A situação colonial recebe, portanto, uma interpretação um tanto metafórica, pois o que retém sua atenção é a dominação do negro pelo homem branco. O objetivo do livro é, porém, bastante claro. Escrito na esteira de *O que é a Literatura*, de Sartre, Fanon propõe levar ao leitor negro uma reflexão sobre sua situação social.[22] A leitura funcionaria como uma espécie de espelho que revelaria ao negro sua imagem real, o que lhe permitiria se engajar em um processo de desalienação do seu próprio Ser. O tema da "tomada de consciência", a que rapidamente se referia Balandier, reaparece agora no interior do discurso do dominado. No mesmo sentido dirão os intelectuais do

---

(20) Corbisier, op. cit.
(21) Sobre Fanon, ver minha introdução a seus escritos, Ática, Coleção Grandes Cientistas Sociais, e, ainda, Irene Gendzier, *Franz Fanon*, Toronto, Pantheon Books, 1973, e Renate Zahar, *Franz Fanon: Colonialism and Alienation*, Nova Iorque, Monthly Review Press, 1974.
(22) Fanon, *Peau Noire...*, op. cit.

CULTURA BRASILEIRA E IDENTIDADE NACIONAL 55

ISEB: "A falta de consciência nacional, a falta de consciência crítica em relação a nós mesmos se explica pela alienação, pois o conteúdo da colônia não é a própria colônia, mas a metrópole... A tomada de consciência de um país por ele próprio não ocorre arbitrariamente, mas é um fenômeno histórico que implica e assinala a ruptura do complexo colonial".[23] A importância dada à temática da consciência é tal que Álvaro Vieira Pinto chega a estruturar sua *Consciência e Realidade Nacional* em dois volumes: o primeiro dedicado à consciência ingênua, alienada, o segundo à consciência crítica, desalienada, e que aceleraria o processo de desalienação nacional.

O que permite no entanto que dois assuntos distintos, a problemática racial e a nacional, possam ser tratados e compreendidos através das mesmas categorias teóricas? Dito de outra forma, o que existe de comum entre a temática da dominação racial e da dominação colonial? Creio que os movimentos negros como os movimentos nacionalistas têm uma necessidade premente de busca de identidade. Para além das categorias de colonizador/colonizado, branco/negro, opressor/oprimido, permanece a pergunta, "quem somos nós?" ou "por que estamos assim?". Fanon quando escreve se dirige aos negros e propõe uma leitura da realidade racial que os leve a uma escolha entre uma situação autêntica ou inautêntica do homem negro. O mesmo tipo de inquietação orienta os intelectuais do ISEB. Já em 1953 Guerreiro Ramos descobre dois traços fundamentais da sociologia brasileira: alienação e inautenticidade. Dentro desta perspectiva ele critica, por exemplo, o livro de Paulo Prado, *Retrato do Brasil*, e a "mania" dos brasileiros de utilizarem categorias pré-fabricadas fora do país?[24] A esta sociologia alienada, que ele denomina de consular, opõe-se uma sociologia "autêntica", "nacional". Cândido Mendes, ao definir as funções dos intelectuais e da universidade, dirá que sua tarefa fundamental será a "procura da autenticidade".[25] Criticando os artis-

---

(23) Corbisier, op. cit., pp. 40 e 82.
(24) Guerreiro Ramos, *Introdução Crítica à Sociologia Brasileira,* op. cit.
(25) Cândido Mendes, *Nacionalismo e Desenvolvimento,* Rio de Janeiro, IBEA, 1963.

RENATO ORTIZ

tas e intelectuais africanos que se voltam para o passado na busca de uma identidade nacional, escreve Fanon: "Este criador que decide descrever a verdade nacional se volta paradoxalmente para o passado, para o inatual. O que ele visa na sua intencionalidade profunda são os excrementos do pensamento, o que está fora, os cadáveres, o saber definitivamente estabilizado. Ora, o intelectual que quer fazer obra autêntica deve saber que a verdade nacional é primeiro a realidade nacional"?[26] A ênfase na autenticidade revela a necessidade visceral de se construir uma identidade que se contraponha ao polo de dominação. A questão nacional está intimamente ligada ao problema étnico, como atestam os movimentos separatistas bascos, ou como no passado mostrou Otto Bauer a respeito das nacionalidades na Áustria. Os intelectuais do mundo periférico têm uma preocupação constante com o sujeito colonizado, por isso encontramos recorrentemente nos diversos autores o tema do "complexo" de inferioridade do colonizado em relação ao colonizador, do negro em relação ao branco. A crítica de Fanon da ideologia do embranquecimento se insere dentro desta perspectiva de uma procura de uma identidade própria, desalienada do contexto social no qual foi engendrada. A cultura define portanto um espaço privilegiado onde se processa a tomada de consciência dos indivíduos e se trava a luta política. Escreve Corbisier: "Em um contexto globalmente alienado, a cultura está inevitavelmente condenada à inautenticidade. Se uma cultura autêntica é a que se elabora a partir e em função da realidade própria, do ser do país, a colônia não pode produzir uma cultura autêntica por si mesma que não tem ser ou destino próprio. A sua cultura só poderá ser um reflexo, um subproduto da cultura metropolitana, e a inautenticidade que a caracteriza é uma consequência inevitável da sua alienação".[27] Da mesma forma considera Fanon que a libertação nacional é o único quadro possível para a realização de uma cultura autêntica e nacional.[28] A autenticidade marca portanto os diferentes níveis de manifestação da situação colonial, ela é subjetiva,

---

(26) Fanon, *Les Damnées de la Terre*, Paris, Maspero, 1970, p. 156.
(27) Corbisier, op. cit., p. 78.
(28) Fanon, veem particular, o cap. IV, "Sobre a Cultura Nacional", *in Les Damnés... ,* op. cit.

CULTURA BRASILEIRA E IDENTIDADE NACIONAL   57

cultural e em última instância se realiza no interior de um espaço nacional. Por isso a procura da identidade leva a uma indagação sobre o homem negro ou o homem colonizado.

Não é por acaso que a lição de Hegel sobre o senhor e o escravo é recuperada por esses intelectuais do mundo periférico, ela permite o diagnóstico de uma realidade colonialista unificando os níveis subjetivo e objetivo que a constituem. O livro de Fanon sobre o racismo contém especificamente um capítulo sobre "O negro e o reconhecimento", e um subcapítulo é dedicado a "O negro e Hegel". Ele parte da noção de reconhecimento e procura mostrar como o negro para se constituir como pessoa tem de passar pela referência ao homem branco. Como todo ser humano, o negro sente a necessidade de se ver reconhecido enquanto tal, mas este reconhecimento torna-se impossível numa sociedade onde existem senhores brancos e escravos negros. Fanon capta muito bem esta situação quando afirma que o negro não possui uma "resistência ontológica" diante do olhar do branco, pois ele só consegue se enxergar enquanto escravo, reflexo do dominador. Neste sentido, sua "essência" está alienada no Ser do senhor branco. Sua abordagem da situação colonial, embora mais politizada, pois é escrita no momento da guerra da Argélia, é também marcada pela presença de Hegel. Ao descrever o mundo colonial como maniqueísta, dualista, separado entre dois polos antagônicos que se excluem, o mundo dos dominadores e dos dominados, ele retoma o texto hegeliano. Mas não se trata mais do Hegel filósofo, ou do comentário crítico dos exegetas, os princípios filosóficos perdem em abstração e se transformam em categorias sociopolíticas para o entendimento de uma realidade concreta. Preso à esfera da alienação, o colonizado/escravo será visto pelo senhor enquanto "coisa", o que significa que o maniqueísmo do mundo colonial irá desumanizá-lo, diminuí-lo como homem. Da mesma maneira que o negro, submisso à dominação racial, o colonizado não consegue se reconhecer como ser humano, ele se vê através do olhar do colonizador. Fanon dirá que o dualismo colonial "animaliza" o colonizado, que o colonizador se relaciona com o colonizado através de uma linguagem "zoológica", que o coloca na situação de uma "coisa". Entre os intelectuais do ISEB, Corbisier é talvez quem melhor explora as implicações dos conceitos hegelianos. Comentando o

58 RENATO ORTIZ

conceito de situação colonial ele escreve: "O binômio senhor e escravo, que marca as relações entre colonizado e colonizador, nos parece caracterizar o complexo colonial. O colonizador é sujeito, ao passo que o colonizado é objeto. O primeiro é titular de direitos e privilégios, o segundo só tem obrigações e deveres, quanto aos direitos apenas aqueles que o senhor concede. O escravo não é sujeito e não tem direitos, porque, como diria Hegel, não é reconhecido pelo senhor, não é visto por ele como se fosse também sujeito. O escravo não tem ser próprio, nada é em si mesmo, pois o seu ser se fundamenta no ser do senhor, de cuja vontade é apenas o reflexo".[29] Dentro desta perspectiva, o colonialismo impõe aos países colonizados uma dupla dominação, ela é exploração econômica das matérias-primas e importação de produtos acabados, mas sobretudo dominação cultural. A analogia com a economia levará alguns autores a afirmar que a importação do Cadillac, da Coca-Cola, do chiclete, do cinema implica o consumo (antropofágico?) do Ser do Outro. Dito de outra forma, o colonizado importa a sua consciência, ele é o reflexo do reflexo. Este tipo de análise marca até hoje as discussões sobre cultura brasileira. Um exemplo da sua atualidade, e de seus equívocos, pode ser dado na recente discussão sobre a penetração da música *soul* junto às comunidades negras. Para muitos críticos isto não seria nada mais do que uma nova absorção, pelos negros brasileiros, do imperialismo cultural americano.

Eu havia dito anteriormente que os intelectuais do mundo periférico falavam de um lugar diferente daquele ocupado por Sartre e Balandier, e que por isso os conceitos, que já se apresentavam nesses autores europeus, sofreram um movimento de rotação e passaram a ser considerados a partir de uma posição terceiro-mundista. Na verdade, a dialética do senhor e do escravo possibilita uma dupla operação, o diagnóstico da realidade e, por conseguinte, uma ação política que visa transformá-la. Hegel, ao descrever as relações entre o senhor e o escravo, sublinha a necessidade de reconhecimento, mas, adianta, a relação corresponde a um momento da objetivação do Espírito. Ela deve portanto ser superada, e o escravo corresponde ao polo ativo da relação. É o escravo quem transforma o mundo pelo seu trabalho, ele é

---

(29) Corbisier, op. cit., pp. 29-30.

CULTURA BRASILEIRA E IDENTIDADE NACIONAL

a mediação entre o senhor e o mundo, o que lhe confere uma posição de dinamismo em contraposição à ociosidade estática do senhor. O escravo é a negação libertadora, ele está do lado da superação, da história. A identificação do senhor ao colonizador e do escravo ao colonizado é certamente ideológica, mas permite aos pensadores periféricos se situarem do lado da História, e possibilita articulação de um discurso político que se insurge contra a dominação colonialista. Ao tratarem a situação colonial em termos de alienação, imediatamente eles podem conceber a sua contrapartida, o processo de desalienação do mundo colonizado. Se, como dizem alguns isebianos, o Ser do homem colonizado está alienado no Ser do Outro, é necessário dar início a um movimento que restitua ao colonizado a sua "essência". Isto só pode ocorrer se o discurso extravasar do terreno filosófico para o domínio político.

O mesmo tipo de operação discursiva, a passagem da filosofia para a política, se dá em relação à categoria de totalidade, pelo menos no que diz respeito aos isebianos. Álvaro Vieira Pinto, por exemplo, procura mostrar como a totalidade é um caráter distintivo do pensar crítico, e ele a opõe a um outro tipo de pensamento que para compreender a realidade tem necessidade de mutilá-la.[30] A apreensão seria neste caso somente parcial. De uma certa forma Vieira Pinto retoma a crítica que Balandier faz aos antropólogos anglo-saxões, e absorve a perspectiva teórica proposta por Mauss e amplamente divulga da por um sociólogo como Gurvitch, que tinha na época uma importância considerável junto à *intelligentsia* brasileira. No entanto, a categoria de totalidade se reveste logo a seguir de um outro significado, e passa a se identificar sobretudo com a nação. Criticando o pensamento causal, que compreende a realidade social a partir de pontos de vista parciais, Vieira Pinto reabilita o pensamento total, mas em seguida falará de "país subdesenvolvido como totalidade" e da "nação como totalidade envolvente". Esta passagem do plano metodológico para o diagnóstico concreto acarreta certamente problemas teóricos, mas, como no caso da dialética do senhor e do escravo, per-

---

(30) Ver A. V. Pinto, cap. IV, "A Categoria de Totalidade", in *Consciência e Realidade Nacional*, op. cit., vol. II.

60 RENATO ORTIZ

mite uma leitura ideológica, portanto política, da situação colonial. Não é difícil perceber que Vieira Pinto passa sem grandes sutilezas da abstração filosófica de "estar no mundo" para a materialidade do "viverem um mundo colonizado". Pode-se, desta forma, associar o conceito de totalidade aos princípios da dialética hegeliana, pois o homem que vive numa nação subdesenvolvida só pode realizar o seu Ser ao transformar esse mundo, e para os isebianos transformação significa desenvolvimento.[31] Ressurge neste ponto o tema do humanismo ao qual já nos havíamos referido anteriormente. O desenvolvimento é um humanismo porque restitui à nação a sua essência e devolve ao homem colonizado sua dimensão humana. Um novo homem surgirá das cinzas do anterior, mas isto só se concretizará se o mundo colonizado superar a história do colonialismo, isto é, criar um Estado "verdadeiramente" nacional. Falando sobre a luta argelina, Fanon se refere à "verdade" da nação e afirma: "A nação argelina não está mais num céu futuro. Ela não é mais o produto da imaginação nebulosa ou dos fantasmas enrijecidos. Ela está no centro do novo homem argelino. Existe uma nova natureza do homem argelino, uma nova dimensão de sua existência".[32]

As convergências de pensamento entre Fanon e Vieira Pinto são interessantes. Bons leitores de Hegel, ou de seus comentadores, intérpretes dos movimentos políticos que vivenciam, eles não se limitam a discutir a possibilidade de existência de um "novo" homem brasileiro ou argelino. Pelo menos filosoficamente a superação do colonialismo implica não somente o desaparecimento do senhor, mas abre perspectiva para que uma nova humanidade se concretize. Interessa-lhes assim descobrir o homem por trás do colonizador, este homem que é simultaneamente ordenador e vítima de um sistema de opressão. A superação remete portanto a um universal, à humanidade. Torna-se, assim, comum dizer que a morte do colonizador é também a morte do colonizado. Fanon leva esta perspectiva às últimas consequências e chega inclusive a pensar o Terceiro Mundo como matriz de libertação do homem uni-

---

(31) A. V. Pinto, *Ideologia e Desenvolvimento Nacional*, Rio de Janeiro, ISEB, 1959.
(32) Fanon, *Sociologie d'une Révolution*, Paris, Maspero, 1968, p. 12.

CULTURA BRASILEIRA E IDENTIDADE NACIONAL   61

versal.[33] Dramaticamente ele escreve nas últimas linhas de seu libelo contra o colonialismo: "Camaradas, por nós mesmos, pela humanidade, é preciso criar uma pele nova, desenvolvermos um pensamento novo, tentarmos edificar um homem novo".[34]

As ideias e seus reflexos

Até o momento vínhamos buscando as convergências entre o pensamento de Fanon com o dos intelectuais do ISEB. Devemos sublinhar agora as diferenças, e o que é mais importante, interpretar o porquê das discrepâncias, uma vez que as perspectivas teóricas são semelhantes. Como então, a partir das mesmas premissas, podem resultar respostas políticas tão distintas? Para equacionar este problema gostaria de comentar uma passagem na qual Fanon descreve o dualismo da situação colonial. "Nos países capitalistas, entre o explorado e o poder se interpõe uma variedade de professores de moral, de conselheiros, de `desorientadores'. Nas regiões coloniais, pelo contrário, o policial e o soldado, pela sua presença imediata, suas intervenções diretas e frequentes, mantêm o contato com o colonizado e o aconselham, a golpes de coronha e de *napalm,* a não se mexer."[35] Uma primeira conclusão que se pode tirar é sobre a violência nas sociedades coloniais, este será por sinal um dos eixos em torno dos quais gira o pensamento fanoniano. Para Fanon, a violência é o fundamento do colonialismo. Ela se expressa no nível econômico, político, administrativo, e até mesmo psíquico. Suas análises dos sonhos dos colonizados são interessantes, elas mostram, por exemplo, como esses homens têm sonhos "musculares", "agressivos", que denotam no nível do inconsciente uma liberação da opressão do cotidiano.[36] Por isso se afirma que nas sociedade colonizadas existe uma "violência atmosférica" que paira no ar; é essa violência-resposta, que é proporcional à violência exercida pelo opressor, que leva à revolução. Mas é essencial perceber que para Fanon (o que é discutível) ela é distinta da vio-

---

(33) Ver Fanon, *Paur la Révalution Africaine*, Paris, Maspero, 1969.
(34) Fanon, *Les Damnés...,* op. cit., p. 233.
(35) Fanon, *Les Damnés...,* op. cit. p. 8.
(36) Fanon, *Les Damnés...,* op. cit.

lência exercida pelo colonizador. Fanon retoma a interpretação da dialética do senhor e do escravo e entende que somente o escravo pode ser revolucionário e que isto se realiza através da morte do senhor. Neste sentido a violência exprimida na guerra anticolonialista é libertadora e transcende a condição do oprimido para se revelar como libertação do homem em geral.

Mas o que permite esta violência se concretizar? A resposta se encontra no próprio dualismo colonial. Entre colonizador e colonizado não existe mediação possível, o confronto é direto. A situação colonial não se define, portanto, pela luta de classes, pois a classe dirigente não é aquela que detém a propriedade, mas primeiramente aquela que vem de "fora". "É-se rico porque é-se branco, é-se branco porque é-se rico."[37] Esta passagem condensa bem o pensamento de Fanon. Mas o que se afirma, quando se diz que na colônia não existem "professores de moral" e "desaconselhadores", é que a situação colonial se caracteriza pela ausência de uma sociedade civil. Gramsci certamente diria que ela não se define pela hegemonia, mas pela força. A zona intermediária que existe nas sociedades ocidentais, e que serve para amortecer os conflitos, inexiste nas sociedades coloniais. Dentro deste quadro não há possibilidades para que a luta ideológica se institua, o embate é aberto e violento, e leva necessariamente à revolução.

Nada mais distante do pensamento do ISEB do que uma reflexão sobre a violência ou a revolução. Somente Glauber Rocha recuperou no Brasil uma discussão do tema proposto por Fanon. E aqui, creio eu, podemos falar de influência direta, pois o manifesto sobre uma "Estética da Fome" possui uma inspiração acentuadamente fanoniana. Mas o que Glauber propõe é simplesmente uma estética violenta, isto é, uma violência simbólica que exprima no cinema a miserabilidade dos povos do Terceiro Mundo. Existe porém uma distância entre a violência como realidade e a violência como metáfora. Mas por que os isebianos não retiram de Hegel as mesmas conclusões? Acredito que a resposta pode ser encontrada quando se aborda o argumento da sociedade civil. Um tema constante nas preocupações isebianas diz respeito às discussões sobre a ausência ou presença de um "povo" brasileiro. Cândido Mendes,

---

(37) Fanon, *Les Damnés...*, op. cit., p. 9.

CULTURA BRASILEIRA E IDENTIDADE NACIONAL   63

ao definir a situação colonial, dirá: "Fundamentalmente não se encontra na colônia lugar para as posições intermediárias atenuando os contrastes entre os extremos, no cimo e na base do edifício coletivo. Numa palavra: faltam as classes médias para exercerem esse papel e permitirem que, em tais coletividades, surja um verdadeiro povo".[38] Entre a dialética do senhor e do escravo e o diagnóstico da realidade brasileira se insinua portanto a história. Para os isebianos a independência não continha ainda as condições que se articulavam suficientemente entre si a ponto de se constituir um povo brasileiro. Alguns, como Corbisier, chegam a dizer que, até a Semana de Arte Moderna, existia no Brasil uma préhistória. Mas a partir da industrialização e da urbanização brasileira, assim como da revolução de 1930, o passo da história caminha cada vez mais para a constituição de um elemento novo: o advento do povo no Brasil. No final dos anos 1950 escreve Guerreiro Ramos: "Hoje, porém, o povo começa a ser um ente político, maduro, porque portador de vontade e discernimento próprios. O povo está substituindo, desta maneira, aqueles grupos e classes no papel de principal ator do processo político".[39] Mas o que seria concretamente este povo brasileiro, como defini-lo e diferenciá-lo dos segmentos oligárquicos que em princípio deteriam o controle político do país? A esta pergunta, que perpassa a obra dos mais diversos intelectuais do ISEB, Nelson Werneck Sodré responde: são, as partes da alta e da média burguesia, a pequena burguesia, o campesinato, o proletariado, e o semiproletariado.[40] Esta enumeração exaustiva deixa poucos setores fora do que se entende por nação brasileira, mas ela tem um significado profundo que é justamente o de negar a afirmativa de Fanon e confirmar a existência de uma sociedade civil. Maria Sílvia Carvalho Franco captou bem este aspecto do pensamento isebiano quando dizia que seus intelectuais eram fundadores da sociedade civil brasileira. A ausência de um "povo" caracteriza o passado brasileiro, no momento em que os intelectuais do ISEB

---

(38) Cândido Mendes, op. cit., p. 15.
(39) Guerreiro Ramos, *O Problema Nacional do Brasil*, Rio de Janeiro, Saga, 1960.
(40) N. W. Sodré, *Quem é Povo no Brasil?*, Rio de Janeiro, Civilização Brasileira, Cadernos do Povo, 1962.

64 RENATO ORTIZ

escrevem, afirma-se a existência de uma sociedade civil que não possui ainda a devida expressão política. Ao se colocarem como representantes legítimos do "povo", o que eles de fato estão procurando realizar é dar às classes médias um papel político que elas não possuíam até então. Neste sentido a proposta política só pode ser reformista, nunca revolucionária.

O conceito de nacional será portanto inflexionado em direções diferentes. Para Fanon a nação não é somente uma realidade sociológica, o Estado argelino, mas sobretudo uma utopia. O projeto nacional revela uma nova ontologia do homem, e por isso se situa simultaneamente no presente e no futuro. O presente é a luta anticolonialista que se abre para um ponto incerto que faz do projeto revolucionário uma busca incessante, um movimento. O livro *Os Condenados da Terra*, que foi escrito logo após a independência argelina, mostra claramente essa perspectiva no capítulo sobre "As Desventuras da Consciência Nacional". Insatisfeito com os rumos que começam a tomar os movimentos nacionalistas africanos, Fanon procura entender o porquê deste hiato entre o projeto de libertação nacional e uma realidade africana pontilhada por lutas tribais e a emergência de uma burguesia local. Incapaz de apreender corretamente esta nova situação, ele chega inclusive a afirmar em suas críticas que "a vocação histórica de uma burguesia nacional seria de se negar enquanto burguesia, de se negar enquanto instrumento do capital para se tornar totalmente escrava do capital revolucionário que constitui o povo".[41] O que é evidentemente um contrassenso. Porém, o que permite a Fanon este contrassenso é sua própria concepção de nação enquanto mito-utopia que realizaria integralmente as potencialidades do gênero humano. Quando ele percebe que a realidade não concretiza esse ideal, novamente se coloca em um ponto futuro que age como referência para a transformação social presente.

Os intelectuais do ISEB falam a partir de uma outra realidade política e social. A nação brasileira não é algo que se encontra situado no futuro, pelo contrário, a existência de uma sociedade civil atesta que ela é uma realidade presente mas que não se en-

---

(41) Fanon, *Les Damnés*..., op. cit., p. 96.

CULTURA BRASILEIRA E IDENTIDADE NACIONAL 65

contra ainda plenamente desenvolvida. Ao mito-utopia de Fanon eles contrapõem um programa de desenvolvimento. A utopia, como diz Bloch, transcende o real e o apreende como ponto futuro, de uma certa forma ela é sempre um "projeto" (no sentido sartreano) inacabado. O programa nos remete para o presente, para a ideologia. Não é por acaso que os isebianos se autodefinem como ideólogos, eles estão presos à realidade histórica brasileira e só podem elaborar uma ideologia que seja conforme à hegemonia da classe dirigente que quer modernizar o país. Roberto Campos, em um pequeno artigo sobre a cultura brasileira, bem anterior ao texto de Álvaro Vieira Pinto, já dizia que para o Brasil a opção fundamental era a "opção pelo desenvolvimento".[42] O que significa planificação, eficácia, racionalização, formação tecnológica, maximização do ritmo de crescimento. A função dos intelectuais seria diagnosticar os problemas da nação e apresentar um programa a ser desenvolvido. Não há utopia, a realização do Ser nacional era uma questão de tempo; cabia à burguesia progressista comandar esse processo.

* * *

Nosso estudo comparativo nos permite retomar a problemática do capítulo "Memória Coletiva e Sincretismo Científico: As Teorias Raciais do Século XIX", a que Roberto Schwarz se referia como as ideias e suas viagens. Temos agora um quadro mais amplo que nos possibilita avançar algumas conclusões sobre a questão nacional. O primeiro ponto que chama a atenção é que os conceitos de situação colonial e de alienação são preparados e difundidos durante os anos 1950 (evidentemente a origem hegeliana é anterior). Existe portanto uma correspondência entre a assimilação e produção dessas ideias e o processo de descolonização que se realiza na Ásia entre 1943 e 1951 e na África entre 1954 e 1963. No início dos anos 1950, a França sofre uma grande derrota na batalha de Dien Bien Phu, e os franceses são expulsos do Vietnã. Em

---

(42) Roberto Campos, "Cultura e Desenvolvimento", in *Introdução aos Problemas do Brasil*, Rio de Janeiro, ISEB, 1956.

66 RENATO ORTIZ

abril de 1955 realiza-se a conferência afro-asiática de Bandung, que reúne pela primeira vez os países do chamado Terceiro Mundo. Dentro deste quadro internacional os conceitos permitem aos povos do mundo periférico tomarem uma posição ofensiva no interior de um *world system* que se estrutura a partir dos países centrais. Tanto Fanon como os isebianos enfrentam situações semelhantes e encarnam respostas em relação a este quadro de dominação internacional. A busca da autenticidade, de uma consciência crítica e independente atestam, como já tínhamos destacado, a necessidade de se elaborar uma identidade que se contraponha ao polo dominador. A teoria é, neste caso, uma linguagem que procura dar conta dessa realidade.

No entanto, as ideias viajam para portos diferentes. A situação argelina não é a mesma da sociedade brasileira. Poderíamos pensar que os intelectuais do ISEB, como Euclides da Cunha, "leram" mal Hegel, mas sabemos que este tipo de resposta é insuficiente. Não resta dúvida de que, ao se pensar a questão nacional, tem-se que as diferenças de classe são subsumidas a uma totalidade que as transcende. Esta é por sinal uma discussão que já está bastante documentada, no que diz respeito à II Internacional, nos debates entre Kautsky e Otto Bauer, e que se prolongam até o advento da III Internacional.[43] O que gostaria, porém, de sublinhar é que, da mesma forma que os isebianos, Fanon não crê que a análise marxista dê conta da situação colonial. Suas críticas ao marxismo, que não exploramos neste trabalho, privilegiam claramente o nacional em detrimento da luta de classes. Sua perspectiva não deixa, porém, de ser revolucionária a ponto de ele exaltar a violência como poucos escritores o fizeram na literatura política mundial. Isto significa que as ideias são equacionadas no interior das histórias concretas dos povos. Eu diria que o reformismo do ISEB não se deve tanto a se pensar a questão nacional em oposição à luta de classes, mas de pensá-la a partir de uma determinada posição social no interior da história brasileira. O que para

---

(43) Ver Leopoldo Marmora (org.), *La Internacional y el Problema Nacional y Colonial*, 2 vols., México, Cuadernos PyP, 1978; M. Rodinson, *Sobre la Cuestión Nacional*, Barcelona, Anagrama, 1975; Badia/Galissot, *Marxisme et Algérie*, Paris, Ed. 10/18, 1976.

CULTURA BRASILEIRA E IDENTIDADE NACIONAL   67

alguns era utopia revolucionária, torna-se para outros programa de modernização.

A análise de discurso permite compreender como determinados grupos agenciam suas ideias e procuram apreender o mundo tendo como ponto de referência os conceitos centrais que elaboraram. No entanto é necessário perceber que todo discurso se estrutura a partir de uma posição determinada, as pessoas falam sempre de algum lugar. Essas situações concretas que dão base material à linguagem não são exteriores ao discurso, mas se insinuam em seu interior e passam muitas vezes a estruturá-lo e constituí-lo. As mesmas falas, em situações distintas, possuem significados diferentes. No caso do ISEB, eu diria, que a situação internacional e brasileira se transformou em muito, mas os conceitos permaneceram enquanto senso comum. Por isso torna-se importante compreender o momento em que eles foram engendrados e a que necessidades procuravam responder.

Da cultura desalienada à cultura popular: o CPC da UNE

Gostaria neste capítulo de abordar um aspecto particular do debate sobre a cultura brasileira, ou seja, a temática da cultura popular. Para tanto, retomarei de maneira crítica uma experiência histórica concreta desenvolvida no Brasil entre os anos 1962 e 1964: a ação do Centro Popular de Cultura, que funcionou durante esse período junto à sede da União Nacional dos Estudantes, na Guanabara. O que é interessante na experiência do CPC é que ela está teoricamente vinculada à filosofia isebiana, muito embora seja uma radicalização à esquerda dessa perspectiva. Por exemplo, o conceito de alienação terá em Marx e Lukács, e não mais em Hegel, seus representantes principais. No entanto, a importância que os isebianos atribuíam ao papel do intelectual, sua ligação com o destino mais amplo do país, permitiu, a um movimento cultural de inspiração marxista, estabelecer uma ponte entre tradições teóricas que muitas vezes são apresentadas como contraditórias. Para o ISEB os intelectuais têm um papel fundamental na elaboração e na concretização de uma ideologia do desenvolvimento; são eles que devem explicitar o processo de tomada de consciência, e, por conseguinte, viabilizar o projeto de transformação do país. Mas, quando autores como Guerreiro Ramos ou Álvaro Vieira Pinto afirmam que sem teoria do desenvolvimento não há desenvolvimento,

CULTURA BRASILEIRA E IDENTIDADE NACIONAL   69

eles na verdade recuperam, sob os auspícios do pensamento mannheimiano, uma concepção leninista de vanguarda. Isto permite ao CPC desenvolver toda uma ideologia a respeito da vanguarda artística, e compreender o tema da tomada da consciência dentro de uma ação politicamente orientada à esquerda.

É importante porém sublinhar que a análise da ideologia do CPC deve ser referida ao momento histórico a que corresponde. Dois pontos me parecem fundamentais no que diz respeito a este período: 1) a efervescência política que, em última instância, permitiu o desenvolvimento do CPC como ação revolucionário-reformista definida dentro de quadros artísticos e culturais; 2) a ideologia nacionalista que transpassa a sociedade brasileira como um todo e consolidava um bloco nacional que congregava diferentes grupos e classes sociais. A proposta de organização da chamada "cultura popular" se insere, portanto, dentro de limites precisos de um determinado momento histórico. Não pretendo porém, com minha reflexão, reatualizar um movimento que, sem dúvida nenhuma, foi rico em experiências, mas que a meu ver esgotou historicamente sua própria razão de existir. O que me interessa é compreendê-lo criticamente e, na medida do possível, trazer elementos para uma análise atual do campo da cultura brasileira.

Folclore e cultura popular

Antes de abordarmos a questão do CPC, seria interessante situar a problemática da cultura popular em sua assimilação à noção de folclore, estabelecida em particular pelos folcloristas. Tem-se assim, numa certa medida, uma visão mais abrangente do problema da organização da cultura, ao mesmo tempo que se realça a originalidade do CPC enquanto movimento ideológico na história da cultura brasileira. São inúmeras as definições de folclore. Ela é enciclopedista para Sébillot, durkheimiana para o I Congresso de Folclore (Rio de Janeiro, 1951), psicologista para Câmara Cascudo.[1] Entretanto, apesar da diversidade, a noção de cultura popular en-

---

(1) P. Sébillot, *Littérature Orate et Ethnographie*, Paris, 1913; Renato de Almeida, *Folclore*, Cadernos de Folclore, MEC 1976; Câmara Cascudo, *Dicionário de Folclore Brasileiro*, MEC, 1954.

RENATO ORTIZ

quanto folclore recupera invariavelmente a ideia de "tradição", seja na forma de tradição-sobrevivência ou na perspectiva de memória coletiva que age dinamicamente no mundo da práxis. Esta ênfase no caráter tradicional do patrimônio popular implica, na maioria das vezes, uma posição conservadora diante da ordem estabelecida. Florestan Fernandes aponta este caráter conservador ao considerar o folclore como uma necessidade histórica da burguesia europeia.[2] Para o autor, definir a cultura popular como o saber tradicional das classes subalternas das nações civilizadas, como o faz Thoms, implicaria imediatamente assimilá-lo à dimensão de "atraso", de "retardatário". Tal concepção legitimaria a existência de uma dicotomia estrutural da sociedade; por um lado teríamos uma elite que se consolidaria como fonte e promulgadora do "progresso"; por outro, as classes subalternas, que representariam a permanência de formas culturais que arqueologicamente se acumulariam enquanto legado de um passado longínquo. A construção de uma pretensa "ciência do folclore" aparece, desta forma, como a contrapartida das teorias evolucionistas de Spencer, Darwin, Augusto Comte; ela delimita para si uma esfera que bem poderia ser considerada a da perpetuidade dos fenômenos sociais. Num certo sentido, como afirma Florestan, teríamos ainda, no plano ideológico, uma tentativa de refutação da tese marxista que considera o proletariado como única classe que teria a possibilidade de desenvolver o progresso de forma real e coerente. Um exemplo de contestação explícita ao pensamento da filosofia da práxis pode ser encontrado nos escritos de um pensador como De Man.[3] Se a interpretação de Florestan Fernandes nos parece válida, seria legítimo perguntar se ela não se restringiria aos limites das sociedades europeias; no caso do Brasil, pensamos que o folclore é menos uma necessidade da burguesia, mas sobretudo uma forma de saber que se associa, de início, às camadas tradicionais de origem agrária (veja-se, por exemplo, seus expoentes como Gilberto Freyre e Câmara Cascudo). De qualquer maneira persiste o elemento

---

(2) Florestan Fernandes, "Sobre o Folclore", in O Folclore in Questão, São Paulo, Hucitec, 1978, pp. 38-48.
(3) Ver Gramsci, A Concepção Dialética da História, Rio de Janeiro, Civilização Brasileira, 1978.

CULTURA BRASILEIRA E IDENTIDADE NACIONAL   71

conservador; valoriza-se a tradição como presença do passado, todo "progresso" implicando um processo de desacralização da sabedoria popular. Um exemplo típico desta forma de literatura é o Manifesto Regionalista de Gilberto Freyre. Concebe-se assim uma pretensa autenticidade das manifestações populares que irá radicalmente se opor a qualquer movimento de transformação da realidade social.

Apesar de algumas considerações contrárias,[4] esta concepção conservadora da cultura popular dominou grande parte da literatura folclórica brasileira; ela será entretanto fundamentalmente questionada com a emergência dos Centros Populares de Cultura. Quando Ferreira Gullar afirma que a expressão "cultura popular" designa um fenômeno novo na vida brasileira,[5] de um certo modo o autor afirma que a noção se desvincula do caráter conservador que lhe era atribuído anteriormente. Rompe-se, desta forma, a identidade forjada entre folclore e cultura popular. Enquanto o folclore é interpretado como sendo as manifestações culturais de cunho tradicional, a noção de "cultura popular" é definida em termos exclusivos de transformação. Critica-se a posição do folclorista, que corresponderia a uma atitude de paternalismo cultural, para enfim implantar as bases de uma política cultural segundo uma orientação reformista-revolucionária. Carlos Estevam, principal teórico do movimento, vai, portanto, considerar a "cultura popular" como uma ação de caráter fundamentalmente reformista; para o autor, ela "essencialmente diz respeito a uma forma particularíssima de consciência: a consciência política, a consciência que imediatamente deságua na ação política. Ainda assim, não a ação política em geral, mas a ação política do povo".[6] De forma mais sucinta, Ferreira Gullar compreende a "cultura popular" como a "tomada

---

(4) Por exemplo, a escola paulista que se desenvolve sob o impulso de Roger Bastide. Ver R. Bastide, *Sociologia do Folclore Brasileiro*, São Paulo, Anhembi, 1959, ou seus escritos sobre folclore recentemente publicados pelo CERU, USP, *Cadernos* n.° 10, nov. 1977. Ou ainda os trabalhos de Florestan Fernandes e de M. I. Pereira de Queiroz.

(5) Todas as vezes que nos referirmos ao termo "cultura popular" como ele foi definido pelo CPC, a palavra aparecerá entre aspas.

(6) Carlos Estevam, *A Questão da Cultura Popular*, Rio de Janeiro, Tempo Brasileiro, 1963, pp. 29-30.

72 RENATO ORTIZ

de consciência da realidade brasileira".[7] O conceito de cultura popular se confunde, pois, com a ideia de conscientização; subverte-se desta forma o antigo significado que assimilava a tradição à categoria de cultura popular. "Cultura popular" não é, pois, uma concepção de mundo das classes subalternas, como o é para Gramsci e para certos folcloristas que se interessam pela "mentalidade do povo", nem sequer os produtos artísticos elaborados pelas camadas populares, mas um projeto político que utiliza a cultura como elemento de sua realização. O termo se reveste portanto de uma nova conotação, significa sobretudo função política dirigida em relação ao povo. Quando os agentes do CPC se referem às "obras da cultura popular", eles não se reportam às manifestações populares no sentido tradicional, mas sim às atividades realizadas pelos centros de cultura. Pode-se desta forma falar em "militantes da cultura popular", posto que a noção de substantivo se transforma em verbo.

Da perspectiva de ação política, deriva de imediato a questão dos intelectuais e da organização da cultura. Neste sentido, a problemática do CPC é vizinha àquela estudada por Grasmci nos Cadernos do Cárcere. Trata-se em última instância de secretar um corpo de intelectuais que possa organizar a cultura popular, mas não a cultura global, visto que aquela é definida em termos restritos, em contraposição à cultura alienada das classes dominantes. Para tanto, o intelectual deve ser "parte integrante do povo", isto é, deve "tornar-se povo". Qual seria, porém, a forma através da qual se processaria a aproximação entre elite e massas? Uma passagem da revista *Movimento*, da UNE, coloca: "Falando ao povo (a respeito dos problemas do povo) o intelectual passa a ser povo e então seu porta-voz, e então intelectual da sociedade: não intelectual da antisociedade".[8] Tem-se aqui um problema análogo ao estudado por Gramsci quando este se refere à formação de uma cultura nacional-popular na Itália.[9] O pro-

---

(7) Ferreira Gullar, *Cultura Posta em Questão*, Rio de Janeiro, Civilização Brasileira, 1965, p. 3.

(8) UNE, "Cultura Popular: Conceito e Articulação", *Movimento*, n.º 4, julho 1962.

(9) Gramsci, *Literatura* e *Vida Nacional*, Rio de Janeiro, Civilização Brasileira, 1968.

CULTURA BRASILEIRA E IDENTIDADE NACIONAL   73

cesso de construção da hegemonia implica necessariamente uma identificação dos intelectuais com os interesses e aspirações das massas. Entretanto, se existem pontos em comum entre a problemática gramsciana e a do CPC, as diferenças subsistem, e são consideráveis. Para Gramsci, a categoria de intelectual é distinta do significado que lhe atribuem os agentes do CPC; o intelectual é, na realidade, a expressão das massas, pois se encontra vinculado organicamente aos interesses populares. A relação partido-massa é interna, e se realiza de baixo para cima, isto é, ela emerge junto às classes subalternas que secretam seus próprios intelectuais orgânicos. Para o CPC, a relação encontra-se invertida: são os intelectuais que levam cultura às massas. Fala-se *sobre* o povo, *para* o povo, mas dentro de uma perspectiva que permanece sempre como exterioridade. Apesar das intenções, o distanciamento público-autor é uma constante; um exemplo patético disto são as produções artísticas realizadas pelo CPC. Devido à ênfase colocada na instrumentalização dos bens artísticos, resulta que o elemento estético seja praticamente banido. Basta analisar-se algumas peças teatrais para se convencer de que elas operam no fundo com estereótipos que banalizam a vida social: o estudante, o sacerdote, o operário, o burguês etc. Tem-se na realidade uma sociologia de atores que muito se assemelha aos ideal-tipos da análise weberiana; o sentido do texto decorre, desta forma, do processo de interação entre os atores. Pode-se considerar aqui a mesma critica que Gramsci estabelece com relação às obras de Manzoni; o povo é o personagem principal da trama artística, mas na realidade se encontra ausente. Não há vida interior dos personagens, dilui-se a dimensão do indivíduo, e com isso a própria existência, visto que esta é preterida diante do argumento político colocado *a priori* como necessidade interna ao texto. A máxima de Carlos Estevam "fora da arte política não há arte popular" não somente empobrece a dimensão estética, como distancia o autor dos interesses populares, posto que todo aspecto não imediatamente político é eliminado. É interessante notar que para Carlos Estevam, o lúdico, o religioso, o estético são aspectos secundários da existência; eles exprimem, na realidade, uma perda de "horas-homens" revolucionários, pois agiriam, segundo o autor, como entrave ao desenvolvimento da ação política.

74 RENATO ORTIZ

Como disse acertadamente Vianinha, o CPC se transforma num "pronto-socorro político".[10]

Ideologia

Para o CPC, a análise da realidade social se articula fundamentalmente através da categoria da alienação; este conceito se encontra disseminado ao longo dos escritos dos estudantes da UNE, e no livro de Ferreira Gullar, mas foi particularmente desenvolvido em sua aplicação à "cultura popular" por Carlos Estevam. Opõe-se, desta forma, a "cultura alienada" das classes dominantes, internalizada em parte pelas classes dominadas, a uma "cultura desalienada". A presença teórica de Lukács é marcante, e pode ser apreendida através da utilização abundante do conceito de "falsa consciência". Existe porém um movimento de reiflcação dos conceitos, posto que a "falsidade da consciência", ou as "ilusões", que para Marx são consideradas como formas necessárias de conhecimento, se transforma em "falsa cultura", "cultura alienada". Define-se a "cultura popular", isto é, a prática do CPC, como ontologicamente "verdadeira" em contraposição às "falsas" manifestações populares. O Manifesto da UNE de 1962 leva as considerações sobre o processo de alienação às últimas consequências quando distingue três tipos de objetos artísticos populares: a arte do povo, a arte popular, a arte revolucionária do CPC.[11] As observações tecidas em torno das duas primeiras são de caráter profundamente etnocêntrico, os autores chegam mesmo a denegar-lhes a condição de produtos artísticos. Afirma-se, por exemplo, "que a arte do povo é tão desprovida de qualidade artística e de pretensões culturais que nunca vai além de uma tentativa tosca e desajeitada de exprimir fatos triviais dados à sensibilidade mais embotada. É ingênua e retardatária, e na realidade não tem outra função que a de satisfazer necessidades lúdicas e de ornamento. A arte popular, por sua vez, mais apurada e apresentando um grau de elaboração técnica superior, não consegue entretanto atingir o nível de dignidade artística que a credenciasse como experiência

---

(10) Entrevista com Oduvaldo Vianna Filho, *Opinião*, 29.7.1974.
(11) Ver Carlos Estevam, op. cit., p. 90 (parte II).

CULTURA BRASILEIRA E IDENTIDADE NACIONAL 75

legítima no campo da arte, pois a finalidade que a orienta é a de oferecer ao público um passatempo, uma ocupação inconsequente para o lazer, não se colocando para ela jamais o projeto de enfrentar os problemas fundamentais da existência".[12] Reencontra-se assim uma característica que se manifesta como constante no pensamento do CPC, a preeminência do político em relação às outras dimensões da vida social. Dentro desta perspectiva, somente a arte política pode ser considerada como legítima, uma vez que ela encarna a única forma possível de réplica ao processo de alienação. Como observa com justeza Uchôa Leite, existe uma contradição inerente à teoria do CPC; para legitimar a ação da "cultura popular" deve-se necessariamente negar a validade das próprias manifestações populares.[13] Considerando-se o popular como "falsa cultura", ele se encontra fatalmente encerrado nas malhas da esfera da alienação. Toda atividade político-cultural é portanto imediatamente externa ao próprio movimento das massas, posto que naturalmente os fenômenos populares recaem nos limites da consciência inautêntica.

Outro aspecto importante da ideologia é a questão do nacionalismo; trata-se evidentemente de uma problemática que domina a época na qual se desenvolvem as atividades dos centros de cultura popular. Ferreira Gullar, que se ocupa particularmente do fenômeno da alienação da arte brasileira, considera que "a cultura popular tem caráter eminentemente nacional e mesmo nacionalista".[14] Popular e nacional representam assim faces de uma mesma moeda; neste sentido, a prática do CPC implicaria a tomada de consciência da dependência dos países subdesenvolvidos com relação aos centros de decisões econômicas e culturais. Retoma-se de certa forma o argumento isebiano que focalizava o problema da dependência cultural em termos de alienação. A luta anti-imperialista, tema essencial das manifestações estudantis, penetra desta forma o texto artístico, e pode, pedagogicamente, ser exposta para a grande massa. Basta observar-se o enredo de peças como o *Auto dos*

---

(12) Carlos Estevam, op. cit., pp. 90-91.
(13) Sebastião Uchôa Leite, "Cultura Popular: Esboço de uma Resenha Crítica", *Revista Civilização Brasileira*, n.° 4, set. 1965, pp. 269-289.
(14) Ferreira Gullar, op. cit., p. 8.

76 RENATO ORTIZ

99%, ou músicas como *Subdesenvolvido, Canção do Trilhãozinho*, para se perceber como se articula a oposição de uma cultura nacional à cultura estrangeira. Diversas manifestações culturais passam assim a compor o espectro de fenômenos considerados sob a classificação de "cultura popular": o cinema novo que reivindica a implantação de uma indústria cinematográfica nacional; o teatro que revaloriza os temas brasileiros; as tradições populares regionais. No que diz respeito às tradições folclóricas, pode-se apontar uma incoerência teórica com relação à proposição da "falsa cultura". Com a emergência da problemática do imperialismo cultural, tem-se que a questão dos fatos folclóricos enquanto "falsidade" se transmuta em estado de "veracidade" nacional. O pensamento desloca-se do núcleo da "falsa cultura" para centralizar-se sobre um novo polo: o da independência nacional; delimita-se assim uma esfera da "autenticidade" nacional que naturalmente se manifesta na memória popular regional. O *rock* simbolizaria assim uma etapa do processo de alienação cultural, enquanto a música folclórica reafirmaria a identidade perdida no ser do outro.[15] A comercialização da música regional aparece desta forma como uma dessacralização da autenticidade da arte popular (poderíamos dizer que ela perde sua "aura"); paradoxalmente, a ideologia do CPC vai reencontrar a problemática anteriormente colocada pelos folcloristas. Uma vez que a noção de alienação se confunde com a de inautenticidade, pode-se estabelecer uma aproximação entre concepções que a *priori* se apresentavam como frontalmente antagônicas.

Aberturas

Sebastião Uchôa Leite pondera que a ideologia do CPC, ao considerar os fenômenos populares enquanto alienação, se aliena a esse mesmo conceito. A observação nos parece válida; fica porém a pergunta: em que medida o próprio conceito não seria inadequado na abordagem da problemática da cultura popular? Na realidade, definir as manifestações populares como "falsa consciência" implica necessariamente eleger-se

---

(15) Ver Nelson Uns e Barros, "Música Popular e suas Bossas", in *Movimento*, n.º 6, out. 1962, pp. 22-26.

CULTURA BRASILEIRA E IDENTIDADE NACIONAL 77

arbitrariamente valores da "veracidade" e de "autenticidade" cultural. Fatos sociais, como o futebol, o carnaval, a religião, que dominam grande parte da vida das classes subalternas, são desta forma hipostasiados em categorias que no fundo os concebem como epifenômenos. A análise da cultura se encerra assim num círculo vicioso. Um autor que rompe com as limitações deste tipo é Gramsci; com efeito, como já havíamos sublinhado anteriormente, a problemática dos *Cadernos* se refere precisamente ao estudo da organização da cultura em termos nacional e popular. Reencontra-se dentro deste quadro de análise inclusive o tema da nacionalidade, da identidade nacional; entretanto, a cultura popular e o nacionalismo não são tratados por Gramsci segundo o conceito de alienação. Devido à definição gramsciana de ideologia, que esvazia a discussão de veracidade ou não das concepções de mundo, tem-se que o centro nodal da questão se coloca em termos de relação de força. A alienação do popular e do nacional, que nos remete em última instância ao terna da degenerescência do ser, se apresenta portanto sob o ponto de vista da hegemonia: de uma classe sobre as outras, de uma nação sobre as outras.

Colocar a questão da cultura popular em termos de hegemonia pode, a meu ver, avançar a discussão a respeito da cultura brasileira. Um primeiro aspecto, que situa o problema enquanto relação de forças, se refere à indústria cultural. Não se deve esquecer que o desenvolvimento deste ramo industrial é recente; nos anos 1960 ele se encontra ainda em fase embrionária de crescimento, e só toma um impulso considerável quando se aperfeiçoam e se difundem os meios de comunicação de massa que hoje tendem a integrar a nação como um todo. Pode-se perguntar: em que medida o desenvolvimento de uma indústria cultural não corresponderia ao processo de hegemonia ideológica das classes dominantes? Tudo leva a crer que o espaço de dominação cultural se articula, ou tende a se articular atualmente de forma distinta do passado. Vimos que uma das diferenças entre o pensamento de Fanon em relação aos intelectuais do ISEB dizia respeito à existência ou não de uma sociedade civil. Ora, nos últimos vinte anos o crescimento e a diferenciação deste espaço dão uma nova configuração ao campo da cultura. Por outro lado, pela primeira vez o Estado estabelece uma política cultural em nível nacional. Surgem, assim, organismos do tipo Embrafilme, Funarte, Projeto Minerva, TV Globo, que começam a atuar como administradores culturais. Toda manifestação popular tende portanto a ser inserida num espaço de subordinação que arbitrariamente é imposto a partir do alto. O problema se apresenta, pois, como relação de forças, não como alienação. A questão do nacionalismo, tal como era considerada nos anos 1960, deixa de ter sentido. Efetivamente, existem hoje instituições que implementam um real desenvolvimento da cultura brasileira; não houve porém, a nosso ver, um movimento de desalienação, mas sim estruturou-se um novo campo da cultura onde as formas de dominação tomam configurações distintas. Tem pouco significado afirmar que os cineastas do cinema novo foram cooptados pelo sistema; na realidade, a própria bandeira do cinema novo se exauriu, uma vez que suas principais reivindicações foram atendidas. Dentro do quadro de dominação atual a problemática do nacionalismo adquire novos contornos; vale a pena insistir que o Estado conseguiu estabelecer com certo êxito uma divisão de tarefas com relação ao domínio do econômico e do cultural. Tudo se passa como se a infraestrutura tivesse sido "abandonada" ao capital estrangeiro, conservando-se porém a gestão da esfera superestrutural. O nacionalismo das novas produções brasileiras, das manifestações folclóricas, do turismo é neste sentido puramente simbólico, mas ele recupera uma identidade nacional que se encontra harmoniosamente fixada no nível do imaginário.

Estado autoritário e cultura

Introdução

Para se pensar como se estrutura atualmente o campo da cultura é necessário levar-se em consideração a atuação do Estado brasileiro, que, sem dúvida alguma, é um dos elementos dinâmicos e deflnidores da problemática cultural. Alguns estudos recentes têm procurado abordar este problema, por exemplo, em algumas áreas específicas como o cinema, mas de uma certa forma falta aos diversos trabalhos um conjunto de informações que permitam aos autores uma discussão mais abrangente.[1] Orientado por este tipo de preocupação, procurei realizar uma análise do discurso do Estado pós-64 sobre a produção e organização da cultura.[2] Creio que o conhecimento e a interpretação de

---

(1) Sobre a política de cultura do Estado ver: Octávio Ianni, "O Estado e a Organização da Cultura", *Enc. Civilização Brasileira*, n°. 1, julho 78; A. Novais, "O Debate Ideológico e a Questão Cultural", *Enc. Civilização Brasileira*, n°. 12, Junho 79; J.-C. Bernardet, *Cinema Brasileiro: Propostas para uma História*, Rio de Janeiro, Paz e Terra, 1979; J. M. Ortiz, "Cinema, Estado, Lutas Culturais", tese de mestrado, São Paulo, PUC, 1982.

(2) Gabriel Cohn foi talvez um dos poucos pesquisadores que procuraram elaborar uma análise do discurso governamental. Ver "A Concepção da Política Cultural nos Anos 70", Encontro sobre Cultura e Estado, IDESP, São Paulo, ago.-set. 1982.

80 RENATO ORTIZ

documentos de primeira mão possam contribuir para este debate e, na medida em que procurei focalizar diversos setores culturais ligados ao Estado, que uma reflexão mais global possa ser avançada, mesmo que a título provisório. Com isto temos condições de progredir nas discussões levantadas nos capítulos anteriores, pois havíamos constatado a insuficiência da abordagem proposta nos anos 1950 e 1960. Seria no entanto fundamental situar a questão cultural no interior da recente história brasileira, daí esta introdução relativamente longa que antecede a própria análise do discurso governamental.

As relações entre cultura e Estado são antigas no Brasil. Se tomarmos um exemplo relativamente recente, o dos anos 1930, veremos que com o advento do Estado Novo, o aparelho estatal encontra-se associado à expansão da rede das instituições culturais (criação do Serviço Nacional de Teatro), à criação de cursos de ensino superior, e também à elaboração de uma ideologia da cultura brasileira. A revista *Cultura e Política* foi, em 1941-1945, um órgão ideológico do Estado, no mesmo período em que o DIP exerceu suas funções de censura. No entanto, se consideramos como ponto de partida para nossa análise o ano de 1964, isto não se deu necessariamente por uma imposição do material de pesquisa. Acredito que 1964 pode ser considerado um marco na história brasileira. Na verdade, o golpe possui um duplo significado: por um lado ele se define por sua dimensão essencialmente política, por outro, aponta para transformações mais profundas que se realizam no nível da economia. Os economistas mostram que a partir do governo de Juscelino se instaura uma segunda revolução industrial no Brasil na medida em que o capitalismo atinge formas mais avançadas de produção. O ano de 1964 é visto, tanto pelos economistas quanto pelos cientistas políticos, como momento de reorganização da própria economia brasileira que cada vez mais se insere no processo de inter-nacionalização do capital.[3] O golpe militar tem evidentemente um sentido político, mas ele encobre também mudanças econômicas substanciais que orientam a sociedade brasileira na direção de um

---

(3) Ver Florestan Fernandes, *A Revolução Burguesa no Brasil,* Rio de Janeiro, Zahar, 1975.

CULTURA BRASILEIRA E IDENTIDADE NACIONAL 81

modelo de desenvolvimento capitalista bastante específico. Tal modelo, geralmente descrito através de seus traços genéricos, concentração de renda, crescimento do parque industrial, criação de um mercado interno que se contrapõe a um mercado exportador, desenvolvimento desigual das regiões, concentração da população em grandes centros urbanos, reorganiza a sociedade brasileira como um todo. O processo de "modernização" adquire assim uma dimensão sem precedente. Octávio Ianni, por exemplo, quando estuda o planejamento estatal, afirma que a política governamental pós-64 possui uma nova sistemática e organização que a individualiza em relação a todas as outras políticas adotadas desde 1930.[4] Outro economista, procurando por indicadores não convencionais para apreender a especificidade desta nova realidade brasileira, vai insistir no aspecto da difusão de um *ethos* capitalista, o que significa que o processo de racionalização não se confina aos limites da esfera administrativa, mas se estende, como comportamento, aos próprios indivíduos.[5]

Dentro deste quadro, as relações entre cultura e Estado são sensivelmente alteradas em relação ao passado. O processo de racionalização, que se manifesta sobretudo no planejamento das políticas governamentais (em particular a cultural), não é simplesmente uma técnica mais eficaz de organização, ele corresponde a um momento de desenvolvimento do próprio capitalismo brasileiro. Se, como observa Lucio Kowarick, as técnicas de planejamento são inicialmente aplicadas na área econômica, pouco a pouco elas são difundidas para todas as esferas governamentais. Essas transformações mais amplas, porque passa toda a sociedade brasileira, têm consequências imediatas no domínio cultural. Pode-se afirmar que, no período em que a economia brasileira cria um mercado de bens materiais, tem-se que, de forma correlata, se desenvolve um mercado de bens simbólicos que diz respeito à área da cultura. É bem verdade que Sergio Miceli pode, por exemplo, analisar a produção intelectual dos anos 1930 em

---

(4) Octávio Ianni, *Estado e Planejamento no Brasil*, Rio de Janeiro, Civilização Brasileira, 1979. Ver também L. Kowarick, "Estratégias do Planejamento Social no Brasil", *Cadernos CEBRAP* n.° 2, 1976.
(5) Luciano Martins, "A Política e os Limites da Abertura", *Cadernos de Opinião*, n.° 15, dez. 79-ago. 80.

82 RENATO ORTIZ

termos de mercado.[6] Rigorosamente falando, a noção de mercado simbólico emerge no momento em que a esfera cultural adquire uma autonomia em relação ao mundo material. Habermas vai localizar este momento no início da sociedade burguesa, quando os homens, individualizados e universalizados, trocam no mercado seus produtos materiais.[7] No entanto, o que caracteriza o mercado cultural pós-1964 é o seu volume e a sua dimensão. Nos anos 1930 as produções culturais eram restritas e atingiam um número reduzido de pessoas. Hoje elas são cada vez mais diferenciadas e atingem um grande público consumidor; isto confere ao mercado cultural uma dimensão nacional que ele não possuía anteriormente.

O problema da integração deste espaço público, diferenciado e nacional, se coloca imediatamente para o Estado. Veremos mais adiante que um dos aspectos com que se defronta o discurso ideológico governamental é o de como integrar as diferenças regionais no interior de uma hegemonia estatal. O conceito de integração nacional forjado pela ideologia de Segurança Nacional e aplicado ao período que estamos estudando procura, no nível do discurso e da prática, resolver esta questão. Ao definir a integridade nacional enquanto "comunidade", o Manual da Escola Superior de Guerra retoma os ensinamentos de Durkheim e mostra a necessidade da cultura funcional como cimento de solidariedade orgânica da nação.[8] A noção de integração, trabalhada pelo pensamento autoritário, serve assim de premissa a toda uma política que procura coordenar as diferenças, submetendo-as aos chamados Objetivos Nacionais. No entanto, a ideologia autoritária não se contenta com as categorias durkheimianas e vai além; aqui vale a pena citar: "No Estado de Segurança Nacional, não apenas o poder conferido pela cultura não é reprimido, mas é desenvolvido e plenamente utilizado. A única condição é que esse poder seja submisso ao Poder Nacional, com vistas à Segurança Nacional".[9]

---

(6) Sergio Miceli, *Intelectuais e Classe Dirigente no Brasil*, São Paulo, DIFEL, 1979.
(7) Habermas, *L'Espace Public*, Paris, Payot, 1978.
(8) Manual Básico da Escola Superior de Guerra, Departamento de Estudos MB-75, ESG: 1975.
(9) Joseph Comblin, *A Ideologia da Segurança Nacional*, Rio de Janeiro, Civilização Brasileira, 1980, p. 239.

CULTURA BRASILEIRA E IDENTIDADE NACIONAL   83

Isto significa que o Estado deve estimular a cultura como meio de integração, mas sob o controle do aparelho estatal. As ações governamentais tendem assim a adquirir um caráter sistêmico, centralizadas em torno do Poder Nacional. Daí a busca incessante pela concretização de um Sistema Nacional de Cultura (o que não é conseguido) e a efetiva consolidação de um Sistema Nacional de Turismo em 1967, ou de um Sistema Nacional de Telecomunicações. O Estado procura, dessa forma, integrar as partes a partir de um centro de decisão. Dentro deste quadro a cultura pode e deve ser estimulada. Não estou sugerindo com isto que esse controle é absoluto. Existe evidentemente um hiato entre o pensamento autoritário e a realidade. O que gostaria de ressaltar é que esta ideologia não se volta exclusivamente para a repressão, mas possui um lado ativo que serve de base para uma série de atividades que serão desenvolvidas pelo Estado.

O crescimento da classe média, a concentração da população em grandes centros urbanos vão permitir ainda a criação de um espaço cultural onde os bens simbólicos passam a ser consumidos por um público cada vez maior. O ano de 1964 inaugura um período de enorme repressão política e ideológica, mas significa também a emergência de um mercado que incorpora em seu seio tanto as empresas privadas como as instituições governamentais. Durante o período 1964-1980 ocorre uma formidável expansão, no nível da produção, da distribuição e do consumo de bens culturais. É nesta fase que se dá a consolidação dos grandes conglomerados que controlam os meios de comunicação de massa (TV Globo, Ed. Abril, etc.); Gabriel Cohn associa este processo de monopolização à centralização de poder no plano nacional. Um rápido apanhado das diferentes áreas culturais mostra a evidência do processo de expansão — boom da literatura em 1975, advento dos crescimento da indústria do disco e do movimento editorial. Os dados relativos à imprensa exprimem claramente a expansão do volume do mercado consumidor. Em 1960 a tiragem dos periódicos diários era de 3.951.584 e de não diários, de 4.213.802; em 1976 ela passa para 1272 1.272.901.104 diários e 149.415.690 não-diários.[10] Apesar de o número de jornais praticamente ter permanecido o mesmo, o que em si já é um indicador do

_____
(10) IBGE, dados anuais relativos ao Brasil.

84 RENATO ORTIZ

processo de monopolização dos meios de comunicação de massa, e mesmo sem levar-se em conta o aumento populacional, pode-se observar que o aumento do público consumidor é bastante grande. Mesmo na área cinematográfica, que sofre concorrência direta da televisão, os números são significativos: em 1971 o Brasil possui 240 milhões de espectadores, o que lhe confere a posição de quinto mercado interno cinematográfico do mundo ocidental.[11] Este volume de público corresponde ainda ao crescimento do próprio mercado de filmes nacionais que, apesar de ser significativamente menor do que o de filmes estrangeiros, passa de 30 milhões de espectadores em 1974 para 50 milhões em 1978.[12] O mercado brasileiro adquire, assim, proporções internacionais; em 1975 a televisão é o nono mercado do mundo, o disco, o quinto, em 1975, e a publicidade, o sexto em 1976. O quadro de evolução do investimento publicitário em 1962-1976 nos veículos de comunicação de massa[13] atesta a importância deste mercado, e o que é mais interessante, revela a origem desses investimentos. Os dois maiores investidores são o Estado e as multinacionais.

Apreender a atuação do Estado na esfera cultural é na realidade inserir a política governamental dentro deste processo mais amplo que caracteriza o desenvolvimento brasileiro. O Estado é um elemento fundamental na organização e dinamização deste mercado cultural, ao mesmo tempo que nele atua através de sua política governamental. É bem verdade que o espaço cultural se limita, numa sociedade periférica como o Brasil, aos grandes centros urbanos. Isto, porém, não deve ser atribuído a qualquer distorção social, mas corresponde à consolidação de um mercado interno de bens materiais que tem como característica básica a concentração da riqueza. A distribuição e a criação dos produtos culturais reproduzem as contradições do próprio modelo capitalista brasileiro, que acentua a diferença entre as regiões e reforça a divisão de trabalho entre cidade e campo. Entretanto, é necessá-

---

(11) "Resolução dos 98 dias", *Filme-Cultura*, n.º 18, jan.-fev. 1978.
(12) "Cultura Trocada em Milhões", entrevista com Roberto Farias, *Jornal do Brasil*, 1.4.1978.
(13) Ver Marco Antonio Rodrigues Dias, "Política de Comunicação no Brasil", *in Meios de Comunicação: Realidade e Mito,* J. Wertheiml (org.), São Paulo, Cia. Ed. Nacional, 1979.

CULTURA BRASILEIRA E IDENTIDADE NACIONAL 85

rio compreender que, paralelamente à marginalização econômica e cultural de parcelas imensas das classes subalternas, se manifesta a expansão de um mercado de bens simbólicos que tem expressão considerável na medida em que possibilita a consolidação das indústrias culturais e reorganiza a política estatal no que se refere à área da cultura.

O Quadro 1 nos permite observar a intensidade da presença do Estado no domínio cultural. Realizando o pensamento autoritário do estímulo controlado da cultura, são criadas, após 1964, as principais instituições estatais que organizam e administram a cultura nas suas diferentes expressões. A coluna "atividades" enumera, arbitrariamente, algumas das realizações governamentais que julgamos importantes. Seria no entanto fora do propósito deste trabalho classificar as diversas ações empreendidas ao longo do período. Em particular tem-se que a ação governamental se intensifica a partir de 1975. Com a elaboração de um Plano Nacional de Cultura (primeiro documento ideológico que um governo brasileiro produz e que pretende dar os princípios que orientariam uma política de cultura), a criação da Funarte e a reformulação administrativa da Embrafilme, a área da cultura recebe um impulso bem maior em relação aos anos anteriores.

Uma série de artigos, organizados em coletâneas sobre música, teatro e literatura, realçam em particular este aspecto do incentivo cultural pós-1975.[14] O fato levou alguns autores a formular a hipótese de que o interesse do Estado pela cultura derivaria de um desgaste político; ao adotar uma estratégia cultural o Estado estaria se aproximando mais das classes médias e consolidando uma nova base de apoio.[15] Não creio que a interpretação seja de todo implausível. É provável que exista em 1975 um cálculo político que busque um reequilíbrio das forças políticas através do mundo da cultura. A hipótese não dá conta porém da própria política governamental. Os dados mostram, e a ideologia da Segurança Nacional o confirma, que o Estado manifesta seu interesse pela ques-

---

(14) Ver a série *Anos 70* (Teatro — Literatura — Música), Rio de Janeiro, Ed. Europa, 1979.
(15) Ver, em particular, Margarida Autran, "O Estado e o Músico Popular: de Marginal a Instrumento", *in Anos 70 — Música,* op. cit.

Ano	Órgãos	Atividades
1965	• Embratel	• Brasil se associa ao sistema INTELSAT
1966	• Conselho Federal de Cultura • Conselho Nacional de Turismo • Embratur • Instituto Nacional de Cinema	• Definição de uma política Nacional de turismo
1967	• Ministério de Telecomunicações	• Criação do Sistema Nacional de Turismo • I Encontro Oficial de Turismo Nacional
1968		• I Reunião dos Conselhos Estaduais de Cultura
1969	• Embrafilme	
1970		• Reforma administrativa do MEC, cria-se o Departamento de Assuntos Culturais (DAC), órgãos para execução de uma política cultural
1972	• Telebrás	• I Congresso da Indústria Cinematográfica Brasileira • Embratel completa o Sistema Básico de Micro-ondas que possibilita a Integração nacional por TV • TV a cores
1973		• O DAC lança o 1.° Plano de Acão Cultural (de ação limitada)
1975	• Funarte • Extinguem-se o INC e ampliam-se as atribuições da Embrafilme • Centro Nacional de Referência Cultural	• Publicação do primeiro Plano Nacional de Cultura • Campanha de Defesa do Folclore Brasileiro • I Encontro Nacional dos Dirigentes de Museus
1976	• Concine • Radiobrá	• I Encontro Nacional de Cultural
1979	• DAC se transforma em Secretaria de Assuntos Culturais • Secretaria do Patrimônio Histórico e Artístico Nacional • Fundação Pró-Memória	• I Seminário Nacional de Artes Cênicas • I Encontro Nacional de Artistas Plásticos Profissionais

CULTURA BRASILEIRA E IDENTIDADE NACIONAL 87

tão cultural desde o golpe militar. A criação de vários setores que se ocupam, pela primeira vez na história brasileira, das diferentes esferas da cultura mostra o quanto a política governamental procura ser abrangente. Não obstante, um problema colocado pela série Anos 70 permanece. Por que 1975 aparece como um ano marcante na política governamental? Gostaria de sugerir, ao lado da interpretação já levantada, uma nova pista. Carlos Lessa, ao analisar a ideologia do II PND (1974-1976) vai considerá-la como um produto da euforia do "milagre" econômico de 69-73.[16] Os planos dos governos anteriores enfatizavam sobretudo a dimensão econômica do desenvolvimento. Costa e Silva já havia introduzido no discurso do planejamento o tema da "humanização do desenvolvimento", e Medici falava em "desenvolvimento psicossocial". Porém, esses elementos são puramente discursivos; Geisel procura concretizá-los ao introduzir um dado novo: a distribuição da renda e das oportunidades. Isto levará o governo a implementar algumas políticas de distribuição indireta. Acredito que a área de cultura se beneficia justamente deste incentivo financeiro que tem origem no otimismo econômico do II PND. É significativo que o Plano Nacional de Cultura só seja elaborado em 1975, quando já estava em discussão desde a criação do Conselho Federal de Cultura. O período do "milagre" abre novas possibilidades para as realizações e os empreendimentos culturais. Observaremos, porém, com o advento da crise econômica, que uma mudança ocorre no discurso e no incentivo das ações culturais do governo.

Não resta dúvida de que a política estatal pós-64 tem um impacto efetivo sobre o mercado cultural, ela atua no entanto de diferentes maneiras e através de uma pluralidade de formas. Por exemplo, a política de turismo tem um impacto importante no processo de mercantilização da cultura popular. Não é por acaso que as Casas de Cultura Popular, sobretudo no Nordeste, se encontram sempre associadas às grandes empresas de turismo, que procuram explorar as atividades folclóricas e os produtos artesanais. Por outro lado, parece existir uma divisão de trabalho entre cultura de massa e cultura "artística" e popular. O Estado deixa às empre-

---

(16) Carlos Lessa, "A Nação-Potência como um Projeto do Estado para o Estado", *Cadernos de Opinião*, n.º 15, dez. 79-ago. 80.

88 RENATO ORTIZ

sas privadas a administração dos meios de comunicação de massa e investe sobretudo na esfera do teatro (Serviço Nacional de Teatro), do cinema (Embrafilme), do livro didático (Instituto Nacional do Livro), das artes e do folclore (Funarte). Não existe, porém, oposição entre esfera pública e esfera privada. Um documento interno de análise da política governamental evidencia este fato ao enunciar um princípio que transcende a área a que se refere: "Cabe ao Estado dar as diretrizes e prover as facilidades". A implantação da televisão no Brasil se adequa perfeitamente a essa máxima. É o Estado que efetivamente implanta a infraestrutura tecnológica do sistema de telecomunicações; neste sentido ele provê as "facilidades" que serão exploradas pela empresa privada.[17] Porém, ele reserva para si o controle último dos serviços de telecomunicação. Ao se definir como concessionário único e transferir para a jurisdição federal o poder de concessão, ele concentra poder e facilita o controle sobre as redes nacionais de televisão. O discurso de Geisel, pronunciado no Congresso da Abert, não deixa margem a dúvidas: "Desse controle não poderá governo algum abrir mão, sem que falte ao cumprimento do dever jurado ou ponha em risco a própria segurança da nação".[18] A ideologia da segurança nacional, que está na origem da política da telecomunicação no Brasil, se prolonga, desta forma, enquanto controle ideológico e político. O espaço de atuação das empresas privadas encontra-se, assim, delimitado pelos critérios que orientam as atividades do Estado autoritário (o que muitas vezes implica choques entre os interesses da empresa em relação ao Estado).

A presença do Estado se exerce ainda, e sobretudo, através da normatização da esfera cultural. A partir de 1964 são baixadas inúmeras leis, decretos-leis, portarias, que disciplinam e organizam os produtores, a produção e a distribuição dos bens culturais — regulamentação da profissão de artista e de técnico, obrigatoriedade de longas e curtas-metragens brasileiros, portarias regularizando o incentivo financeiro às atividades culturais etc.[19] O Estado pro-

---

(17) Sobre as telecomunicações, ver Luiz Nogueira, "O Brasil e sua Política de Telecomunicações", tese de mestrado, ECA, USP, 1978.
(18) Geisel, discurso de encerramento da ABERT, 1.10.1976.
(19) A normatização do espaço cultural pode ser encontrada em vários documentos, como: Atos do Governo da República Federativa do Brasil: 31.3.1964 a 31.1.1969,

CULTURA BRASILEIRA E IDENTIDADE NACIONAL   89

move ainda reuniões de empresários, da área pública e privada, como o Encontro dos Secretários de Cultura ou o Congresso da Indústria Cinematográfica Brasileira. Dessa rede de atividades, é interessante notar que as críticas ao controle estatal tenderam a se dirigir quase que exclusivamente ao aspecto da censura. Acredito que isto se deve ao fato de a censura ter adquirido, no momento em que a repressão era brutal, um significado político que parecia condensar todo o autoritarismo do regime. Ela representava uma bandeira política concreta em tomo da qual se agrupava o movimento democrático. Podemos hoje dizer que ela apontava somente para a superfície de um fenômeno bem mais complexo. Durante o período 1964-1980 a censura não se define tanto pelo veto a todo e qualquer produto cultural, mas age primeiro como repressão seletiva que impossibilita a emergência de determinados tipos de pensamento ou de obras artísticas. São censuradas as peças teatrais, os filmes, os livros, mas não o teatro, o cinema ou a indústria editorial. O ato repressor atinge a especificidade da obra mas não a generalidade da sua produção. O movimento cultural pós-1964 se caracteriza por dois momentos que não são na verdade contraditórios; por um lado ele é um período da história onde mais são produzidos e difundidos os bens culturais, por outro ele se deflne por uma repressão ideológica e política intensa. Isto se deve ao fato de ser o próprio Estado autoritário o promotor do desenvolvimento capitalista na sua forma mais avançada. Por isso a censura encontrará resistência até mesmo na área empresarial. O Congresso Nacional da Indústria Cinematográfica (1972) e a Associação Carioca de Empresários Teatrais (1973) vão assim se pronunciar, embora timidamente, contra a censura. O rigor excessivo do censor acarreta também, para os empresários, consequências negativas para o funcionamento do mercado cultural.

MEC, Serviço de Documentação; Ementário da legislação Federal no Brasil — Ensino e Cultura (1930-1967); Coletânea da legislação da Educação e Cultura (1974-1975); legislação do Cinema Brasileiro, Alcino T. Mello, Embrafilme, 1978; um artigo interessante sobre as normas estatais para a televisão e o rádio é "O Papel do Rádio e da TV na Formação da Cultura Brasileira: Da Macrocefalia à Atomização", Roberto Amaral Vieira, *Revista ABEPEC*, n°. 4, junho 1978.

Memória nacional e mestiçagem

O governo militar se ressentiu desde o seu início da ausência de uma política cultural para o país; na verdade, os atos governamentais tinham sido marcados exclusivamente pela negatividade, uma vez que se tornou necessário desfazer as ligações políticas que se originavam da época de Goulart. Logo após o golpe é promulgada uma série de leis e de portarias ministeriais que instituem o controle de diversas áreas sociais ao mesmo tempo que extinguem atividades culturais e pedagógicas consideradas como subversivas Comissão de Cultura Popular, Programa Nacional de Alfabetização, Conselho Consultivo do Serviço Nacional de Teatro, etc.[20] É significativo que Castelo Branco, quando inaugura o Conselho Federal de Cultura, justifique o atraso de uma política cultural do governo devido aos "imperativos problemas estudantis" com os quais se deparou o golpe de 1964. Por isso se institui ainda em 1965 uma comissão que tem por finalidade elaborar as bases de um plano nacional de cultura.[21] Essa comissão, trabalhando junto ao MEC, vem propor a criação de um Conselho Federal de Cultura (CFC) que é instituído em 1966.[22] A sessão inaugural do Conselho, aberta pelo presidente Castelo Branco, mostra como o Estado atribuía uma importância considerável às questões culturais, e o que se esperava de uma instituição como aquela. Apesar de o CFC não ser um órgão executivo, seu objetivo seria coordenar as atividades culturais. Castelo Branco sublinha a necessidade de o governo desenvolver para a cultura um "plano de envergadura nacional"; Tarso Dutra, então ministro da Educação, também se refere a um "plano nacional em favor da cultura".[23] Esta preocupação de se pensar a questão cultural em termos nacionais está na raiz da criação do próprio Conselho, cuja finalidade primeira, se-

---

(20) Ver Atos do Governo da República Federativa do Brasil: 31.3.1964 a 31.1.1969, MEC, Serv. Documentação, Rio de Janeiro, 1969.
(21) Portaria Ministerial de 20.6.65 (*Diário Oficial*, 27.7.1965, p. 7.256). A comissão, presidida por Josué Montello, é formada por Adonias Filho, Augusto Meyer, Murilo Miranda, Rodrigo Mello Franco de Andrade, Américo Jacobina Lacombe.
(22) Decreto-Lei n.º 74, de 21.11.66 (*Diário Oficial*, 22.11.1966, p. 13.529).
(23) Os discursos de Castelo Branco e de Tarso Dutra foram publicados na revista *Cultura*, n.º 1, julho 1967.

CULTURA BRASILEIRA E IDENTIDADE NACIONAL

gundo seus estatutos, seria formular, em conjunto com as autoridades governamentais, uma política nacional de cultura.[24] Na verdade, esta ambição não se concretizará, cabe porém, no momento, sublinhar os pontos que levaram o governo a se empenhar na criação deste órgão cultural.

Para que o Estado desenvolva um projeto cultural brasileiro, é necessário que ele se volte para os únicos intelectuais disponíveis, e que se colocam desde o início a favor do golpe militar. Quem são essas figuras, no dizer do próprio Conselho, "altamente representativas da cultura brasileira no campo das artes, das letras e das ciências humanas"? São, na verdade, membros de um grupo de produtores de conhecimento que pode ser caracterizado como de intelectuais tradicionais. Recrutados nos Institutos Históricos e Geográficos e nas Academias de Letras, esses intelectuais conservadores e representantes de uma ordem passada irão se ocupar da tarefa de traçar as diretrizes de um plano cultural para o país. A origem e a ideologia desses intelectuais não deixarão de criar problemas para o desenvolvimento dos objetivos a se propõem, pois suas ideias não têm mais a força de necessidade histórica. Porém é importante compreender que, para o Estado, sua incorporação permite estabelecer uma ligação entre o presente e o passado. Ao chamar para o seu serviço os representantes da "tradição", o Estado ideologicamente coloca o movimento de 1964 como continuidade, e não como ruptura, concretizando uma associação com as origens do pensamento sobre cultura brasileira, e que vem se desenvolvendo desde os trabalhos de Sílvio Romero. Na medida em que grande parte desta ideologia trabalhada pelo pensamento tradicional é incorporada nos documentos governamentais, é importante analisar o discurso do CFC para se compreender como se legitima uma visão de cultura brasileira.[25]

---

(24) Consultar Decreto-Lei de criação do CFC, artigo 2.°, sobre a competência e objetivos do Conselho.

(25) A análise de discurso do CFC foi feita tomando-se como objeto de estudo as seguintes revistas: *Cultura*, publicação mensal e porta-voz oficial do Conselho. Período pesquisado: do n.° 1, julho 1967, ao n.° 42, dezembro 1970. *Boletim*, que substitui a revista *Cultura*, de periodicidade trimestral. Período pesquisado: do n.° 1, janeiro 1971, ao n.° 36, julho-setembro 1979. *Revista de Cultura Brasileira*, também publicada pelo Conselho. Período pesquisado: do n.° 1, julho-setembro 1969, ao n.° 20,

RENATO ORTIZ

Se considerarmos o termo "mestiçagem" num sentido amplo, talvez possamos definir a ideologia do CFC como sendo a de um Brasil mestiço. Como sabemos, a temática não é nova, pois foi uma preocupação constante dos pensadores do final do século XIX e se prolongou até os anos 1930. O que chama, porém, a atenção do pesquisador é que o termo mestiçagem se reveste na verdade de um duplo sentido. O primeiro, e mais imediato, diz respeito à questão racial. Neste sentido, os artigos e as afirmações que encontramos se filiam ao velho tipo de análise que compreende o Brasil como resultado da fusão das três raças povoadoras.[26] No entanto, o discurso apresentado, apesar de se referir a esta dimensão da miscigenação, não toma a problemática racial como ponto central. Isto é compreensível, pois de uma certa forma o problema já havia sido ideologicamente equacionado nos anos 1930, o povo brasileiro sendo de uma vez por todas defmido pelo cruzamento das raças. O que interessa, pois, ressaltar é o significado segundo do preconceito de mestiçagem, o que nos leva à noção de heterogeneidade. Quando os membros do CFC afirmam que a cultura brasileira é plural e variada, isto é, que o Brasil constitui um "continente arquipélago", o que se procura é sublinhar o aspecto da diversidade.[27] Os elementos branco, negro e

---

abril-junho 1974, quando a publicação se encerra. A partir de janeiro de 1971, o MEC publica *Cultura*, de circulação mais abrangente que a antiga revista do Conselho. Muito embora esta nova revista seja de encargo do MEC, ela veicula em vários pontos uma ideologia similar à do Conselho. Por isso pesquisamos o período que vai do n.° 1, janeiro 1971, ao n.° 30, dezembro 1978.

(26) Ver Manuel Diegues Jr., "História da Cultura Brasileira", *Cultura*, n.° 37, julho 1970; Manuel Diegues Jr., "Razões Brasileiras contra a Discriminação Racial", *Cultura*, n.° 21, março 1969; G Freyre, "Negritude, Mística sem Lugar no Brasil", *Boletim*, n.° 2, abril-junho 1971; Fala de Pedro Calmon, *Boletim*, n.° 23, julho 1976 (especial sobre o Encontro Nacional de Cultura); Gilberto Freyre, "O Brasileiro como Tipo Nacional de Homem Situado no Trópico", *Revista Brasileira de Cultura*, n.° 6, out.-dez. 1970.

(27) As afirmações sobre a cultura brasileira em sua essência plural é o substrato do discurso do Conselho. Vamos encontrá-la em todos os textos que se referem à temática do homem brasileiro e da cultura nacional. Por isso, só citaremos alguns artigos que a desenvolvem num sentido mais orgânico. Arthur Cezar Ferreira Reis, "A Participação da Amazônia no Contexto Cultural", *Cultura*, n.° 4, outubro 1967, "Programa de Ação em Favor da Cultura", *Cultura*, n.° 18, dezembro 1968, "A Cultura Brasileira", *Cultura*, n.° 36, junho 1970; discurso do ministro Ney Braga no I Encontro Nacional de Cultura, *Boletim*, n.° 23, julho 1976; Gilberto Freyre, "Cultura Plural", *Boletim*, n.° 26, jan.-março.

CULTURA BRASILEIRA E IDENTIDADE NACIONAL   93

índio apontam neste sentido para uma dimensão que desde a obra de Gilberto Freyre vinha sendo colocada como pluralidade étnica, cultural e física.[28] Brasil: pluralidade de culturas, diversidade de regiões. O discurso retoma a perspectiva do regionalismo como "filosofia social" quando Arthur Cezar Ferreira Reis (segundo presidente do Conselho) fala, por exemplo, sobre a importância da Amazônia no contexto cultural. Ele, na verdade, retoma os argumentos de Gilberto Freyre sobre o Nordeste.[29] A região é uma das partes desta diversidade que define a unidade nacional. O elemento da mestiçagem contém justamente os traços que naturalmente definem a identidade brasileira: unidade na diversidade. Esta fórmula ideológica condensa duas dimensões: a variedade das culturas e a unidade do nacional. Dentro desta perspectiva o documento de Política Nacional de Cultura poderá definir a cultura brasileira como o produto da aculturação de diversas origens. Ela "decorre do sincretismo de diferentes manifestações que hoje podemos identificar como caracteristicamente brasileiras, traduzindo-se num sentido que, embora nacional, tem peculiaridades regionais".[30]

A ideia de pluralidae encobre, no entanto, uma ideologia de harmonia, característica do modelo de pensamento de Gilberto Freyre. Maria Isaura Pereira de Queiroz tem razão ao afirmar que Gilberto Freyre é talvez um dos primeiros pensadores brasileiros que procura compreender a realidade nacional utilizando uma sé-

---

1977. Sobre a regionalização da cultura, ver 3.ª. Reunião Plenária do Encontro Nacional de Cultura: "Integração Regional da Cultura", Miguel Reale; "Regionalização e Inter-regionalização Cultural", M. Diegues Jr.; "Experiência de Regionalização no Nordeste", Fernando Freyre.

(28) A contraposição do discurso do Conselho aos trabalhos de Gilberto Freyre (também membro do CFC) permite situá-lo dentro de um quadro que denominamos da intelectualidade tradicional. Não se deve, porém, pensar em uma influência causal de seus escritos sobre os membros do Conselho. Creio que Gilberto Freyre pode ser considerado um autor paradigmático, isto é, sua obra condensa, na sua forma mais acabada, a ideologia de todo um grupo social. Neste sentido a comparação explicita melhor a natureza do discurso analisado, mas sem vinculá-lo a uma relação de causalidade. Tomamos Gilberto Freyre mais como um representante de um determinado tipo de pensamento do que um pensador que influencia esta ou aquela análise.

(29) Gilberto Freyre, Interpretação do Brasil, Rio de Janeiro, José Olympio, 1947.

(30) Política Nacional de Cultura, MEC, 1975, p. 16.

RENATO ORTIZ

rie de conceitos bipolares.[31] Casa-grande e senzala, sobrados e mucambos, nação e região. Os próprios títulos de algumas de suas obras revelam esta dimensão de polaridade que, segundo o autor, caracterizaria a vida brasileira. No entanto, para Gilberto Freyre diversidade significa unicamente diferenciação, o que elimina *a priori* os aspectos de antagonismos e de conflito da sociedade. As partes são distintas, mas se encontram harmonicamente unidas pelo discurso que as engloba. Num certo sentido o pensamento de Gilberto Freyre é tomista, pois elimina qualquer possibilidade de superação; o senhor não se opõe ao escravo mas se diferencia deste. A senzala não representa um antagonismo à casa-grande, mas simplesmente impõe uma diferenciação que é muitas vezes complementar no quadro da sociedade global. Daí a ênfase de a análise recair sobre os aspectos "positivos" das culturas, ou seja, as suas contribuições (a música, a língua, a cozinha) para uma cultura sincrética. Dentro desta perspectiva os conflitos se resolvem no interior do próprio conceito de diferenciação, que pressupõe a existência de uma sociedade harmônica e equilibrada. A noção de mestiçagem engloba neste sentido outras ideias e vai travestir o significado de termos como "democracia" e "liberdade". Não é por acaso que os movimentos negros denunciam o racismo do conceito de "democracia racial". A ideia de harmonia preside, porém, todo o pensamento de Gilberto Freyre, e não se resume à questão racial, ela vai se manifestar em suas análises das relações entre portugueses e árabes, cidade e campo, indústria e plantação.[32] Quando se refere, por exemplo, ao equilíbrio democrático que se instaurou no Brasil devido à diferenciação de poderes, sistema monárquico e sistema de plantação, comparando-o às repúblicas espanholas ele dirá: "O resultado é que se criou no Brasil, com essa rivalidade entre forças que quase se equiparavam (a monarquia e as fazendas) em autori-

---

(31) M. I. Pereira de Queiroz, "Cientistas Sociais e Autoconhecimento da Cultura Brasileira através do Tempo", III Encontro ANPPCS, Belo Horizonte, 1979, mimeo.
(32) Gilberto Freyre, *Interpretação do Brasil*, Rio de Janeiro, José Olympio,1947; *O Mundo que o Português Criou*, Rio de Janeiro, José Olympio, 1940; *Região e Tradição*, Rio de Janeiro, José Olympio, 1941; *Casa Grande e Senzala*, Rio de Janeiro, José Olympio; *Sobrados e Mucambos*, Rio de Janeiro, José Olympio.

CULTURA BRASILEIRA E IDENTIDADE NACIONAL 95

dade, um clima democrático mais saudável do que o das repúblicas espanholas, nas quais, sob o nome de presidentes, caudilhos puderam às vezes exercer durante anos e anos o mando absoluto".[33] Democracia significa neste contexto heterogeneidade e harmonia. A ideologia do sincretismo exprime um universo isento de contradições, uma vez que a síntese oriunda do contato cultural transcende as divergências reais que porventura possam existir Calcada na antropologia culturalista, a imagem de um Brasil cadinho das raças exprime o contato entre os povos como uma aculturação harmônica dos universos simbólicos, sem que se leve em consideração as situações concretas que orientam os próprios contatos culturais. Na verdade, o conceito de aculturação, herdado da antropologia culturalista americana, favorece este tipo de interpretação. Quando se define o contato cultural como a conjunção de dois ou mais sistemas culturais autônomos, o que se está fazendo é dissociar a cultura da sociedade.[34] Não se considera, assim, as "situações" histórico-sociais no interior das quais se realiza o contato. Na verdade, cultura do "homem branco" não entra simplesmente em contato com a do "homem negro", existe uma rede de relações sociais que os transcendem para apreendê-los no interior de uma economia escravista. O que o conceito de aculturação pressupõe é um mundo onde não se manifestam as relações de poder. Esta ausência é compreendida pela ideologia tradicional como sendo um indício de democracia. É significativo que o discurso do primeiro presidente do CFC estabeleça um antagonismo entre cultura "para todos" ou "soviética" e cultura "para cada um" ou "democrática".[35] Ao apreender o processo de aculturação, o discurso ideológico se apropria de uma categoria antropológica, para associá-la à noção de cultura democrática, o que imediatamente a contrapõe ao totalitarismo, atribuído ao socialismo. Uma

---

(33) Gilberto Freyre, *Interpretação do Brasil*, op. cit., p. 116.
(34) Ver Linton, Redfield e Herskovits, "A Memorandum for the Study of Acculturation", *American Anthropology*, 1936, vol. XXXVIII; Siegel, Vogt, Watson, Broom, "Acculturation: an exploratory formulation", *American Anthropologist*, vol. 56, n.° 6, 1954. Para uma crítica, ver R. Bastide, "Acculturation", Paris, Enciclopaedia Universalis, 1968.
(35) Discurso de Josué Montello na ocasião da inauguração do CFC, *Cultura*, n.° 1, 1967.

96   RENATO ORTIZ

segunda definição de cultura pode, assim, ser avençada: "É essa cultura para cada um, respeitando poderes e volições individuais, que se harmoniza à tradição do Brasil como nação democrática".[36] A qualidade democracia passa desta forma a constituir a essência da brasilidade, o que significa reconhecer a existência objetiva de uma "verdadeira" cultura brasileira, espontânea, sincrética e plural. Sua essência definiria a realidade de uma identidade nacional que se realizaria no Ser do homem brasileiro: "democrata por formação e espírito cristão, amante da liberdade e da autonomia".[37]

Um segundo aspecto do discurso do CFC diz respeito à tradição. Este traço é na verdade definidor da própria natureza do pensamento dos intelectuais tradicionais. Voltados para o passado, eles insistem, como Gilberto Freyre em seu manifesto tradicionalista, na preservação das expressões e manifestações configuradas no passado da história brasileira.[38] Não é por acaso que os Institutos Históricos e Geográficos cultivam a memória dos grandes nomes da história nacional, e que os foleloristas se voltam para o estudo das tradições populares. A cultura brasileira dentro desta perspectiva é vista como o conjunto de valores espirituais e materiais acumulados através do tempo. Ela é um patrimônio, e por isso deve ser preservada. A ideia de patrimônio possui no entanto duas dimensões distintas. A primeira é de natureza ontológica e se refere ao Ser brasileiro. Tradicional significa diversidade e multiplicidade da cultura brasileira. Quando Josué Montello afirma que a "cultura para cada um" se harmoniza às "tradições do Brasil", pressupõe-se a existência de um substrato filosófico que permanece invariável ao longo da história e que define a identidade nacional: democrática e plural. A segunda dimensão diz respeito à objetividade dessa cultura e se traduz pelo acervo material legado pela história. Os membros do conselho têm uma preocupação constante com este tema, ele constitui na verdade o princípio que orienta toda uma política de preservação e defesa dos bens culturais museus, patrimônio histórico, ar-

---

(36) Discurso de Josué Montello, in Cultura, n.º 1, 1967, p. 7.
(37) Plano Nacional de Cultura, op. cit., p. 8.
(38) A. C. F. Reis, "O Culto do Passado no Mundo em Renovação", Revista Brasileira de Cultura, n.º 2, out.-dez. 1969.

CULTURA BRASILEIRA E IDENTIDADE NACIONAL   97

quivos, folclore.[39] Nas discussões sobre a elaboração de um possível plano de cultura nacional, o elemento que retém prioritariamente a atenção dos intelectuais do Conselho é o da conservação do patrimônio.[40] Toda a política de criação dos Conselhos Estaduais de Cultura, que procura implantar um sistema nacional de cultura, está calcada nesta visão do tradicional. Os conselhos são instituições que teriam por finalidade a "defesa da cultura"; por isso o CFC tem, desde o início, interesse em normalizar os auxílios financeiros destinados às instituições que se incumbiriam da conservação e guarda do patrimônio nacional. O próprio documento de Política Nacional de Cultura, que integra boa parte da ideologia do CFC, considera como seu objetivo primeiro "conservar o acervo constituído e manter viva a memória nacional, assegurando a perenidade da cultura brasileira".[41] O argumento da tradição é fundamental para a orientação de uma política do Estado que se volta para atividades como "pró-memória", "museu histórico", "projeto memória do teatro brasileiro", "dia do folclore" etc.[42]

---

(39) Significativamente, o segundo número da revista *Cultura* é todo dedicado à questão do patrimônio nacional (agosto 1967); o mesmo ocorre com o n.° 34 (abril 1970). A ênfase sobre o aspecto da preservação pode ser avaliada quando o Conselho estabelece, por exemplo, as normas e prioridades na distribuição dos parcos recursos que possui. São os critérios de "guarda e conservação do acervo" que são considerados como princípios norteadores de uma política de financiamento. Ver "Relatório das Atividades do Exercício de 1969", *Cultura*, n.° 31, janeiro 1970.
(40) Ver "O que foi a 1.ª Reunião da Cultura", *Cultura*, n.° 10, abril 1968; "Por um Plano Nacional de Cultura" (editorial), *Cultura*, n.° 19, janeiro 1969; A. C. F. Reis, "O Plano Nacional de Cultura", *Cultura*, n.° 21, março 1969; "Diretrizes para uma Política Nacional de Cultura", *Boletim*, n.° 9, jan.-mar. 1973; Irmão Otão, "Uma Politica Nacional de Cultura", *Boletim*, n.° 10, abril/ junho 1973.
(41) Politica Nacional de Cultura, op. cit., p. 28.
(42) São inúmeros os artigos que aparecem na revista *Cultura*, do MEC, associando a questão da tradição à da memória e da identidade nacional. Por exemplo: Lélia Coelho Frota, "Museu Nacional do Cinema: Roteiro da Memória Nacional", n.° 3, jul.-set. 1971; Macksen Luiz, "Museu do Índio: Ou a Busca da Identidade Brasileira", n.° 4, out.-dez. 1971; Manoel A. Barroso, "Museu Nacional Tem Viva a Memória Nacional", n.° 8, out.-dez. 1972; Maria L. Borges, "Defesa e Programação do Folclore Brasileiro", n.° 12, jan.-mar. 1974; Fernando Sales, "Defesa do Patrimônio é Incentivo à Cultura", n.° 15, out.dez. 1974. Ver também Aloísio Magalhães, "Fundação Nacional Pró-Memória", *Boletim*, n.° 36, jul.-set. 1979; "Projeto Memória: Uma Estrutura Aberta", *Revista de Teatro* (SNT), jan.-fev. 1997.

98 RENATO ORTIZ

Ele legitima a ação do Estado nessas diversas áreas, desenvolvendo uma proposta que em princípio recuperaria a memória e a identidade brasileira reificadas no tempo.

Até o momento vínhamos cotejando o discurso do CFC aos escritos de Gilberto Freyre porque o havíamos tomado em sua dimensão paradigmática para compreender e explicitar o pensamento tradicional. Porém, uma vez que a ideologia do Conselho se expressa num momento histórico distinto daquele em que Gilberto Freyre escreve, surgem algumas dificuldades. A problemática do Estado aparece na obra de Gilberto Freyre, em sua grande extensão, sob o signo da suspeita.[43] Na verdade, o autor representa uma camada da classe dominante que historicamente é superada pelos acontecimentos da revolução de 1930. Por isso o Estado moderno é visto quase que exclusivamente em termos de sua tendência centralizadora. Em sua análise do Império, esta questão da unificação e da centralização já aparece. Porém, se Gilberto Freyre, por um lado, aponta algumas vezes para os males da centralização no século passado, por outro, ele "salva" os valores espirituais imperiais ao definir a existência de uma "aristocracia democrática" que em princípio teria respeitado a tradição sincrética brasileira, seja, a "democracia" racial e política. O movimento de 30 vai, no entanto, acentuar o processo de unificação nacional, o que será visto pelo pensamento tradicional como uma tendência "totalitária" que se contraporia à natureza brasileira da unidade na diversidade. É interessante ver como Gilberto Freyre interpreta, por exemplo, o advento do Estado Novo; comparando-o aos sistemas monárquico e de plantação que imperavam no século passado, ele dirá: "A atual tendência antidemocrática na política brasileira significa, como sistematização de ideias fascistas ou quase fascistas, fato novo, e contrário não somente aos pendores republicanos, mas às próprias tradições desenvolvidas à sombra da monarquia e do velho sistema rural brasileiro".[44] O Estado moderno é, portanto, "estranho" à história brasileira. Por isso o autor dirá que Getúlio Vargas é um caudilho, em oposição a figuras como Sílvio Romero;

---

(43) Ver *Interpretação do Brasil*, op. cit., onde o autor resume seu ponto de vista em relação à história do Brasil.
(44) *Interpretação do Brasil*, op. cit., p. 115.

CULTURA BRASILEIRA E IDENTIDADE NACIONAL 99

Getúlio é fruto da zona missioneira, enquanto Silvio Romero representaria as forças telúricas e tradicionais do mundo nordestino, que em última instância definem a raiz do Ser nacional. O Estado-Getúlio é "forasteiro", porque não manifesta a brasilidade dos "povoadores verticais", isto é, da velha classe dominante que deitou as raízes de um país como o Brasil. Carlos Guilherme Mota tem razão quando insiste que a grande influência de Gilberto Freyre se deu devido à temática do nacionalismo:[45] Mas é necessário compreender que este nacionalismo não se associa a uma política de Estado que nos anos 30 e 40 encontra-se voltada para a promoção de valores distintos dos da República Velha. A ideologia tradicional toma o partido das regiões, isto é, do estamento dominante que pouco a pouco perde a direção política do Brasil. "Neste sentido o Estado se contrapõe ao "tradicional", pois ele é o promotor do processo de "modernização" do país."

Quando os intelectuais tradicionais são recrutados pelo Estado, eles se deparam com uma nova realidade: construir uma política de cultura. Isto faz com que a noção de Estado tenha de se adequar, quando possível (e veremos que nem sempre isto ocorre), ao discurso tradicional. O primeiro problema com o qual os conselheiros se defrontam se refere à democracia. Em quase todos os documentos que nos remetem a uma eventual política de cultura, esta preocupação se manifesta. Arthur Cezar Ferreira Reis dirá, por exemplo: "Numa política de Estado visando ao desenvolvimento do país e na qual não poderá deixar de constituir capítulo de maior relevo o de sua cultura, não os teremos de amarrar à disciplina rigorosa que teima em limitar o espírito criador. As culturas, em nenhum momento da história, puderam desenvolver-se sob o guante de programas e dos planos que controlassem e impedissem a naturalidade de sua elaboração. "A liberdade de criar não pode nem deve encontrar restrições, o que não significa que o Estado esteja ausente".[46] O discurso tem, desta forma, a necessidade de pensar ideologicamente um planejamento que garanta a "democracia" e

---

(45) C. Guilherme Mota, *Ideologia da Cultura Brasileira*, São Paulo, Ática, 1977.
(46) A. C. F. Reis, "Programa de Ação em Favor da Cultura", *op. cit.*, p.16.

100 RENATO ORTIZ

as tradições brasileiras. A contradição é resolvida retomando-se o velho tema do "totalitarismo". Referindo-se a um esboço de plano de cultura nacional, elaborado pelo Conselho e entregue ao ministro Jarbas Passarinho, os conselheiros dirão: "Foi (o plano) elaborado nos moldes mais atuais das linhas de planejamento de Estado, de modo a autorizar a presença oficial nas iniciativas criadoras do próprio Estado ou da iniciativa privada, desse modo não limitada mas melhor assistida e incentivada para sua ação criadora e renovadora. Não há nele qualquer vislumbre de contenção ideológica, como ocorre em certos países, onde o processo cultural é policiado pelo Estado, que impede a livre criação ou a criação intelectual que conflite com a ideologia política vigente".[47] Não se leva, desta forma, em nenhum momento, o dado de realidade que marca a sociedade brasileira — a censura —, o discurso se situa em um plano puramente ideológico que busca resolver as contradições internas de um pensamento que se associa a uma política de Estado.[48] Dentro deste quadro, a liberdade de criação é preservada somente quando associada à natureza sincrética das manifestações culturais. O Estado, assumindo o argumento da unidade na diversidade, torna-se brasileiro e nacional, ele ocupa uma posição de neutralidade, e sua função é simplesmente salvaguardar uma identidade que se encontra definida pela história. O Estado aparece, assim, como guardião da memória nacional e da mesma forma que defende o território nacional contra as possíveis invasões estrangeiras preserva a memória contra a descaracterização das importações ou das distorções dos pensamentos autóctones desviantes. Cultura brasileira significa neste sentido "segurança e defesa" dos bens que integram o patrimônio histórico. Clarival Valladares, falando das Casas de Cultura contra a cultura "enlatada", estrangeira e nacional, associa a guarda dos bens culturais à noção de segurança nacional. "A segurança nacional que entende-

---

(47) Relatório do presidente do CFC, *Cultura*, n.° 42, dez. 1970, p. 16.
(48) As posições de vários conselheiros em favor da censura pode ser avaliada através de artigos como: D. Marcos Barbosa, *Cultura*, n°. 36, junho 70, "Liberdade irresponsável"; Divisão de Segurança e Informações, MEC, "Sobre Programas de Auditório na TV"; Djacir Menezes, "Censura e Cultura", *Boletim*, n.° 19; e "Até Onde é Livre a Manifestação do Pensamento", *Boletim*, n.° 21, jan.- mar. 1976.

CULTURA BRASILEIRA E IDENTIDADE NACIONAL 101

mos depende de dois fatores essenciais: o reconhecimento e a valorização do acervo e da expressão cultural do povo e, de modo paralelo, da divulgação e do consumo dos valores culturais universais a fim de possibilitar efetiva participação na civilização atual. Quando defendemos valores culturais regionais, fazemo-lo pela dimensão universal neles contida."[49] Na mesma linha, o ministro Jarbas Passarinho afirmará que a personalidade nacional é a expressão mais elaborada da cultura brasileira, por isso "a sua defesa impõe-se tanto quanto a do território nacional".[50] A ideologia da Segurança Nacional se estende assim à esfera da cultura, a memória devendo necessariamente ser preservada, caso contrário o homem brasileiro estaria se privando de sua dimensão ontológica: o sincretismo.

A segunda dificuldade que surge com a associação dos intelectuais tradicionais ao Estado se refere ao relacionamento entre cultura e desenvolvimento. Desde a criação do CFC este problema se coloca, e em seu discurso inaugural o ministro Tarso Dutra procura equacioná-lo da seguinte maneira: "O progresso que principia a irradiar-se em termos verdadeiramente nacionais, com o desenvolvimento harmônico de todas as regiões brasileiras, não poderia deixar de ser complementado, no plano educacional e técnico, por um atendimento no plano da cultura".[51] A cultura é, neste sentido, considerada como complemento ao desenvolvimento tecnológico, o que significa que uma nação, para se tornar potência, deveria levar em consideração os valores "espirituais" que a definiriam como civilização. No entanto, a relação entre cultura e desenvolvimento aparece sempre, no interior do discurso do Conselho, como uma tensão. Existe um descompasso entre as falas do Ministério da Educação e a ideologia dos conselheiros, pois, ao se considerar a cultura como elemento complementar ao desenvolvimento, está-se na prática subordinando-a aos interesses de outras áreas, em particular da economia. Esta tensão nunca é aberta,

---

(49) Clarival do Prado Valladares, "Casas de Cultura", *Cultura*, n.° 10, abril 1968, p. 58.
(50) "Diretrizes para uma Política Nacional de Cultura", documento elaborado pelo Conselho, *Boletim*, n.° 9, jan.-mar. 1973, p. 58.
(51) Fala do ministro, *Cultura*, n.° 1, p. 15.

102 RENATO ORTIZ

mas é interessante observar que os membros do Conselho percebem o antagonismo que os coloca em posição secundária no interior do aparelho do Estado. São várias as queixas que se referem à cultura como o "primo pobre" da economia. O Conselho possui uma pequena dotação orçamentária, o que o impede de promover uma efetiva política de cultura. Os relatórios de atividade evidenciam este fato ao mesmo tempo que mostram as dificuldades dos conselheiros em verem atendidas até mesmo algumas sugestões de caráter normativo, como, por exemplo, a criação de uma Secretaria de Assuntos Culturais do MEC (efetivada somente em 1979) ou a apresentação de um anteprojeto de Política Nacional de Cultura ao Congresso.[52] É necessário, porém, entender o porquê deste antagonismo, o que nos leva novamente à análise da ideologia tradicional e dos trabalhos de Gilberto Freyre.

Um aspecto interessante da obra de Gilberto Freyre é a distinção que se estabelece entre cultura e técnica. Não me refiro tanto à definição antropológica de cultura ou aos problemas de aculturação, mas a uma dimensão do universo do pensamento tradicional, que associa intimamente o conceito a valores como tradição, região e humanismo. A polaridade cultura/técnica não é de natureza conceitual mas ideológica, e tende a vincular o último termo a todo um mundo de valores que corresponde ao progresso material e à economia. É sugestivo o contraste que se constrói entre o Nordeste e São Paulo. Desde seu manifesto tradicionalista, Gilberto Freyre opõe o movimento modernista do Sul ao regionalismo e às tradições nordestinas. Em outros escritos esta polaridade se esclarece melhor, e pode-se perceber que ela estrutura a própria obra do autor. São Paulo é "locomotiva", "cidade", e o paulista é "burguês", "industrial", tem gosto pelo trabalho, é arrogante pelas suas realizações técnicas e econômicas. O Nordeste é "terra", "campo", seus habitantes são telúricos e tradicionais, "os mais brasileiros pela conduta do que qualquer outro tipo regional".[53] A oposição não se restringe, porém, ao aspecto regional, ela é mais profunda. Gilberto Freyre diz que os nordestinos são como os "antigos" e "velhos" paulistas, da mesma forma que atribui qualidades

---

(52) Ver relatórios de atividades, *Cultura*, n.ºˢ 25 e 31.
(53) G. Freyre, *Interpretação do Brasil*, op. cit.

CULTURA BRASILEIRA E IDENTIDADE NACIONAL 103

como telúrico e tradicional aos "mineiros das zonas mais antigas". Nordeste/São Paulo representa, na realidade, uma oposição entre mundo tradicional e mundo moderno. Não é difícil perceber na obra de Gilberto Freyre a sedução que sobre ele exerce o mundo dos senhores de engenho, as tradições populares, as festas, e outros elementos que formaram o que se denominou de civilização do açúcar. São, no entanto, as passagens mais literárias de seus livros que melhor revelam esta dimensão do pensamento do autor. Descrevendo a vida familiar no século passado, ele afirma: "Antes da Abolição vivia-se mais do que hoje vida de família. E nada o prova melhor que o mobiliário de então. Eram sofás, cadeiras, cômodas e consolos que pareciam criar *raízes* no chão ou no soalho da casa. O mobiliário de hoje é a ideia que menos oferece: fixidez e conforto".[54] Fixidez e raiz. A primeira ideia contém todos os elementos que organizam a coesão patriarcal, as relações fixas entre patrões e trabalhadores, e que é ameaçada com o advento da industrialização e da urbanização. A segunda nos remete às raízes da própria cultura brasileira, à tradição. Uma passagem relativa aos serões é interessante: "Já não existem mais serões de família, com a leitura depois do jantar, de algum romance ou do novo Almanack. Serões que o candeeiro de kerosene docemente favorecia, *gregário* pela sua natureza, não faltando a Agel Canivet razões para atribuir à luz elétrica lamentável influência sobre a vida familiar: a luz elétrica estimula a *dispersão* individual".[55] O candeeiro é gregário, a luz elétrica dispersiva. A categoria de cultura se reporta assim aos valores espirituais que consolidam uma civilização tradicional, a técnica se refere à modernidade do mundo "industrial". Os "velhos" paulistas eram representantes legítimos de um mundo passado, os "novos" são imbuídos de um espírito de cálculo que fomenta o desenvolvimento tecnológico que em última instância inviabiliza a permanência do universo patriarcal. Gilberto Freyre dirá, quando analisa a República, que foi neste período que foram introduzidas as técnicas em grande escala no país. Mas acrescenta: "Bem-sucedidos, na valorização do seu café, os primeiros líderes republicanos do Brasil não cuidaram dos problemas humanos, não desenvolve-

---

(54) G. Freyre, *Região e Tradição*, op. cit., p. 125.
(55) G. Freyre, *Região e Tradição*, op. cit. p. 126.

104 RENATO ORTIZ

ram nenhum plano para a valorização do homem brasileiro"; eles se contentaram com a "mística do progresso material".[56] A técnica é quantidade, a cultura é qualidade, por isso está vinculada aos valores "humanos" e "espirituais".

A oposição cultura e técnica se reproduz no discurso do Conselho através da categoria de "humanismo". Seria inútil procurar associar a noção empregada a uma concepção filosófica mais elaborada do conceito, na realidade o que se considera como humanismo nos remete à problemática do tradicional e do moderno. Ao conceber o homem brasileiro como naturalmente humanista, o discurso vai contrapô-lo ao desenvolvimento de uma sociedade moderna que, incapaz de se orientar no caminho da cultura, se volta para o "economicismo" e para o "tecnicismo" da máquina. Neste sentido os brasileiros estariam "copiando" os modelos estrangeiros. A análise de discurso permite perceber com clareza os antagonismos latentes entre este tipo de intelectual tradicional e os tecnocratas que integram as esferas governamentais. Djacir Menezes, retomando de Gilberto Freyre a expressão "asfixia do humanismo", descreve o avanço do tecnicismo numa sociedade que se industrializa rapidamente como o Brasil.[57] Traçando uma breve história dos intelectuais brasileiros, ele descobre que a partir da revolução de 1930 um novo tipo de pensamento se impõe: o tecnocrata. São esses intelectuais, que carecem de "cultura geral", não possuem uma "consciência no processo", que se tornam a meta do sistema educacional brasileiro. As universidades se especializam e perdem o aspecto qualitativo da cultura. A técnica é neste sentido quantidade, isto é, massificação, progresso material, ideologia do valor numérico, economia. Desmassificar significaria destacar a personalidade, em particular brasileira, do processo de uniformização cultural. Não existem porém afinidades entre o pensamento tradicional e conservador e o da escola de Frankfurt. O indivíduo é algo que está historicamente dado, mas que se perdeu

---

(56) G. Freyre, *Interpretação do Brasil*, op. cit., p. 201.
(57) Djacir Menezes, "Asfixia do Humanismo", *Cultura*, n.° 24, junho 1969. Do mesmo autor: "Ainda os Velhos Temas de Tecnicismo e Humanismo", *Boletim*, n.° 8, out.-dez. 1972, e "Universidade, Massificação, Elite e Outros Problemas", *Cultura*, n.° 29, novembro 1969.

CULTURA BRASILEIRA E IDENTIDADE NACIONAL

ao longo do desenvolvimento das forças materiais. Somente a tradição encerra os valores universais que definiriam a essência humana. Tem-se assim uma necessidade estrutural de conservação, "pois é nesse passado onde estão as riquezas espirituais, as grandes fontes de pensamento".[58]

A crítica da modernidade se realiza, desta maneira, em nome de um humanismo que privilegiaria a dimensão da qualidade em detrimento da quantidade. O ponto de tensão entre esses dois termos pode ser apreendido quando se considera, por exemplo, a relação entre cultura popular e cultura de massa. O popular é concebido como *beauté du mort*, ele é reificado e objetivado enquanto memória nacional. A cultura popular deve ser preservada porque em sua essência ela é tradição e identidade. Os meios de comunicação de massa pertencem ao domínio da quantidade, eles massificam e uniformizam a diversidade do ideal brasileiro. "A cultura massificante vem deturpando a conformação de nossa nacionalidade num internacionalismo gentio e que, subliminarmente poderá ter consequências funestas de abolir, apagar, destruir nossas tradições e nossos hábitos".[59] O folclore precisa ser preservado da contaminação profana do mundo moderno. "Popular" é cultura, a "massa" é técnica. Por isso, o pensamento tradicional opõe os valores humanos e regionais ao tecnicismo moderno, brasileiro ou estrangeiro, como por exemplo em sua crítica aos centros de televisão (São Paulo e Rio de Janeiro) que produzem uma cultura massificante e que procuram impô-la a todo o país.

O Estado, ao incorporar alguns elementos do discurso tradicional, legitima sua política cultural. Se percebermos que a relação qualidade-quantidade corresponde à relação cultura-técnica, tem-se que a implementação de uma política de cultura se associa a um processo de humanização da técnica. Os documentos oficiais, incorporando os argumentos do Conselho, justificam as contradições do capitalismo brasileiro, afirmando que o desenvolvimento econômico é insuficiente para o desenvolvimento social. O Estado passa, desta forma, a ser definido como o centro irradiado

---

(58) Djacir Menezes, "Asfixia do Humanismo", op. cit., p. 11.
(59) Maria Alice Barroso, "Despertar para a Cultura", *Boletim*, n°. 11, jul.-set. 1973, p. 40.

106 RENATO ORTIZ

de um "humanismo dirigido", o que por um lado garante a neutralidade "democrática" da ação cultural, por outro significa, no nível do discurso, a vinculação do desenvolvimento econômico aos valores humanos.[60]

As ideias e os nichos

A análise da ideologia do CFC coloca um problema interessante: como um discurso que se situa em contraposição ao desenvolvimento do capitalismo moderno pode ser incorporado pelo Estado? Para respondermos a esta pergunta devemos analisar mais em detalhe o significado de uma ideologia tradicional. Roberto Schwarz, ao estudar a literatura brasileira no século passado, se propôs apreender o fenômeno da "importação cultural" em termos de "ideias fora do lugar".[61] Se pensarmos que a superestrutura ideológica pode estar descolada do processo econômico e social, a abordagem proposta está evidentemente equivocada. Acredito porém ser possível uma outra interpretação; quando Roberto Schwarz analisa a ideologia liberal em uma sociedade escravocrata, o que ele pretende é compreender o descompasso das superestruturas em relação à realidade global da sociedade brasileira. O pensamento liberal encontra no Brasil um espaço político e social durante o século XIX, trata-se porém de um espaço limitado que não se refere à sociedade como um todo. A ideologia não se adequaria assim plenamente ao modo de produção interno. Desenvolvendo este tipo de raciocínio, Carlos Nelson Coutinho aprofunda este jogo dialético de adequação e desadequação, e mostra, em relação às ideias "importadas", que pouco a pouco, com a industrialização e a urbanização do país, elas tendem a "entrar no lugar".[62] Isto se daria porque a estrutura de classes da sociedade brasileira tornar-se-ia análoga à estrutura de classes das sociedades capitalistas em geral. As contradições ideológicas que marcam a vida cultural na-

---

(60) Ver Clarival do Prado Valladares, "Humanismo Dirigido", *Boletim*, n.° 34, jan.-mar. 1979.

(61) Roberto Schwarz, *Ao Vencedor as Batatas*, op. cit.

(62) Carlos Nelson Coutinho, "Cultura e Democracia no Brasil", *Encontros com a Civilização Brasileira*, n.° 17, novembro 1979.

CULTURA BRASILEIRA E IDENTIDADE NACIONAL 107

cional no século XX se aproximariam cada vez mais das contradições ideológicas da cultura universal, na medida em que se processa uma consolidação da internacionalização do capitalismo. Se tivermos em mente o estudo de Roger Bastide sobre as religiões africanas no Brasil, observamos que a problemática apontada é de certa forma semelhante.[63] Com efeito, Bastide procura trabalhar como a memória coletiva africana, cortada de sua infraestrutura econômica, consegue se preservar no solo brasileiro. Ele nos mostra que esta memória deve se incrustar em nichos materiais (os candomblés), secretando desta forma um espaço social onde seu reavivamento coletivo possa se manifestar. Entretanto, na medida em que a sociedade brasileira se transforma, tem-se que paralelamente ocorrem mudanças substanciais na consciência coletiva africana. A macumba e a umbanda representariam o momento em que a superestrutura se adaptaria ao processo de transformação da história brasileira, isto é, as ideias africanas se adequariam pouco a pouco à totalidade nacional. A questão dos intelectuais tradicionais coloca um problema análogo, só que articulado no sentido inverso. A ideologia do CFC denota um discurso cuja organicidade, no sentido gramsciano, se desfaz uma vez que o capitalismo brasileiro atinge novas formas de produção. As ideias tenderiam assim a "sair do lugar". Porém, como sabemos que toda superestrutura necessita de uma base material para se reproduzir enquanto tal, tem-se que ela secreta seus nichos no interior dos quais a memória do grupo é vivenciada. Os Institutos Históricos e Geográficos e as Academias de Letras formam esses nichos desempenhando a função de "candomblés culturais". O estudo de Madalena Diégues Quintella mostra como essas instituições tradicionais se voltam para o culto do passado e reproduzem na liturgia de seus atos todo um ritual de reatualização da memória.[64] Da mesma maneira que os candomblés realizam através do rito a memória coletiva africana, os institutos e academias reavivam a memória de um grupo que se coloca

---

(63) R. Bastide, *As Religiões Africanas no Brasil*, São Paulo, USP, 1970.
(64) Madalena Diégues Quintella, *Relatório sobre as Instituições Culturais*, Centro de Estudo Latino-Americano, Rio de Janeiro, 1978.

108 RENATO ORTIZ

como portador da memória nacional. Visto que os membros do CFC são recrutados em grande parte nessas instituições culturais, o discurso dos intelectuais tradicionais é incorporado à esfera governamental. Por um breve momento alguns se iludem com a possibilidade de consubstanciar o discurso em ação, no entanto as ideias veiculadas pela ideologia tradicional não são mais adequadas ao desenvolvimento do capitalismo avançado, "elas não mobilizam mais os homens", diria Gramsci, pois são incapazes de soldar organicamente uma vontade coletiva, e deixam de ser hegemônicas. A tensão entre cultura e técnica mostra o ponto-limite de uma ideologia que se associa a um Estado promotor da racionalidade e da técnica. Os intelectuais tradicionais partilham do ideário conservador do governo militar, no entanto 1964, para além de seu significado político, corresponde a uma transformação que também é de natureza econômica. Dentro desta perspectiva o Estado (composto por setores diferenciados) se vê diante da necessidade de bricolar as ideias disponíveis, reservando-se o direito de incorporar algumas, mas de abandonar outras. A ideologia da mestiçagem, que possibilita a definição da memória nacional e de uma ontologia do homem brasileiro, será absorvida, porém a parte que se refere à organicidade de uma política cultural será recusada. A incapacidade dos intelectuais tradicionais de elaborarem um plano nacional de cultura não é casual, mas estrutural, por isso o Estado se volta para um novo tipo de intelectual, aquele que representa a possibilidade real de consolidação de uma organicidade política e ideológica: os administradores.

A ideologia de mercado:

Num artigo da revista *Boletim*, Gilberto Freyre esboça o retrato de intelectual tipo *senior*, ideal tipo de uma cultura brasileira plural.[65] O contraste com os novos intelectuais demandados pelas burocracias estatais é patente; jovens com carreiras promissoras, bem escanhoados, Ph.D. nos Estados Unidos, se opõem assim a uma geração de formação bacharelesca, ensaísta e historiadora dos pequenos fatos da vida nacional. É esta nova intelectualidade que, por um lado, fornece uma ideologia "moderna" ao aparelho de

---

(65) G. Freyre, "Cultura Plural" op. cit.

CULTURA BRASILEIRA E IDENTIDADE NACIONAL   109

Estado, por outro possibilita uma ação orgânica no campo da cultura. Vejamos como se estrutura o discurso dos novos intelectuais no interior de um órgão estatal como o Instituto Nacional do Cinema (INC), fundado no mesmo ano que o CFC.[66] Criado em 1966, o INC absorveu o Instituto Nacional de Cinema Educativo, abrindo novas perspectivas para a indústria cinematográfica brasileira. Seus objetivos eram basicamente: 1) formular e executar a política governamental relativa à produção, importação, distribuição e exibição de filmes; 2) desenvolver a indústria cinematográfica brasileira.[67] O antigo INCE se voltava praticamente para o cinema como instrumento de ensino e de expressão cultural, vivia de dotações orçamentárias, sendo sua atuação bastante reduzida. Por isso o INC é geralmente descrito como um evento que inaugura uma "nova era" na cinematografia nacional.[68] Flávio Tambellini, esboçando uma rápida história do cinema brasileiro, pondera: "Jamais o cinema no Brasil contou, como no Governo Castelo Branco, com tão nítido apoio".[69] O que não deixa de ser verdadeiro, pois o Estado inicia em 1966 os primeiros passos de uma política que visa a uma integração cultural a nível nacional. Em relação ao passado a atuação do Estado vai se caracterizar por uma série de medidas que possibilitam uma implantação real de uma indústria cinematográfica. Duas providências fundamentais proporcionam ao INC ampliar o trabalho de produção de filmes nacionais: a instituição do ingresso padronizado e do borderô, que não somente possibilita um maior controle do mercado de exibição como também fornece uma parte de sua receita para; o INC; e a cessão de 40% do Imposto de Renda recolhido da arrecadação dos filmes estrangeiros no Brasil. Isto faz com que a produção de longa-metragem, que no período 1957-1966 era em média de 32 filmes anuais, passe, nos anos 1967-1968-

---

(66) Foram analisados, para tanto, os exemplares do n.º 1 (julho 1966) ao n.º 33 (maio 1979) da revista *Filme-Cultura*. Esta revista não possui uma periodicidade regular; até o n.º 26 (set. 1974) é publicada pelo INC, a partir do n.º 27 (1978) passa a ser editada pela Embrafilme.
(67) Ver Projeto de Criação do Instituto Nacional de Cinema, *Filme-Cultura*, n.º 2, nov.-dez. 1966.
(68) Ver testemunho de Alcino Teixeira de Mello, in *Mercado Comum de Cinema*, Embrafilme, 1977, pp. 7-8.
(69) Flávio Tambellini, "Insurreição contra a Derrota", *Filme-Cultura*, n.º 4, mar.-ab. 1967, p. 2.

110 RENATO ORTIZ

1969, para uma média de 50 filmes.[70] Com a criação da Embrafilme em 1969, que passa a funcionar com os recursos que haviam sido reservados ao INC, e posteriormente com a absorção do Instituto pela própria Embrafilme, a política do Estado torna-se mais agressiva. Em 1971, a obrigatoriedade de se exibir filmes nacionais passa de 56 para 84 dias anuais; em 1975, a quota é ampliada para 112 dias ao ano. As medidas de proteção do mercado, aliadas ao maior incentivo da produção, fazem com que em 1975 tenha-se produzido 85 películas de longa-metragem, e em 1976, 84. O que significa que no plano mundial o Brasil passa a ser o quinto produtor de filmes cinematográficos.[71] Com o impulso da indústria cinematográfica torna-se dominante a questão do mercado, e já não mais se limitam os empresários da Embrafilme a pensar em termos de Brasil, procura-se, assim, escoar o produto local para os mercados estrangeiros. Isto leva, por exemplo, a Embrafilme a apresentar uma proposta brasileira de criação de um mercado comum de cinema aos países de língua portuguesa e espanhola. A nova realidade exige dos intelectuais do INC e da Embrafilme um discurso que seja coerente com as perspectivas de desenvolvimento econômico. É interessante observar que o tema da censura está ausente da revista *Filme-Cultura*. Significativamente, ele somente emerge no momento em que se realiza o I Congresso da Indústria Cinematográfica Brasileira, mas somente para receber as críticas dos empresários que a julgam "desatualizada" para a época e nociva para a expansão do público consumidor.[72] Os empresários, na verdade, só fazem apontar para o tema que estrutura o discurso dos intelectuais ligados à esfera da produção cinematográfica: o mercado. Daí a necessidade de se redefinir uma obra como o filme. A primeira operação classificatória que o discurso estabelece se impõe ao se afirmar que "o filme é uma arte, o cinema, uma indústria".[73] Procura-se, desta

---

(70) Ver lei que extingue o INC e amplia as atribuições da Embrafilme, Alcino Teixeira de Mello, *Legislação do Cinema Brasileiro*, op. cit.

(71) Ver testemunho de Roberto Farias, in *Mercado Comum de Cinema*, op. cit.

(72) I Congresso da Indústria Cinematográfica Brasileira, *Filme-Cultura*, n.° 22, nov.-dez. 1972.

(73) "INC Hora Primeira", *Filme-Cultura*, n.° 5, jul.-ago. 1967.

CULTURA BRASILEIRA E IDENTIDADE NACIONAL   111

forma, dissociar o produto cultural de sua difusão e consumo. Dentro desta perspectiva, Durval Gomes Garcia poderá definir o conceito de "cinema total", para o qual "o filme, além de veículo de comunicação cultural, é produto de consumo".[74] O problema que se coloca, portanto, é o do público consumidor. A ideologia se volta assim para a justiflcação de um cinema de entretenimento, voltado para o "interesse do público", isto é, adequado ao mercado consumidor. O INC procura desta forma combater dois tipos de posturas que se contraporiam às suas posições mercadológicas: o esteticismo e o cinema ideológico. O esteticismo é atribuído ao cinema de autor, e se encarnaria em movimentos como a *nouvelle vague* e o cinema novo. A crítica visa neste caso a toda uma vertente que em princípio privilegiaria a qualidade artística da obra em detrimento da sua comunicação. Também o cinema ideológico, ao se concentrar nas mensagens políticas, tornar-se-ia hermético e de difícil compreensão para o grande público. Durval Gomes Garcia considera, por exemplo, que uma das características do "cinema total" seria o descompromisso, isto é, ele se recusaria a pautar-se por "preconceitos ideológicos" ou por um estreito elenco de temas.[75] O argumento é interessante, pois permite apreender a atuação do Estado dentro de uma linha de neutralidade. A crítica aos preconceitos ideológicos corresponde assim a uma crítica do dirigismo estatal e uma apologia da livre concorrência. Uma passagem de *Filme-Cultura* é clara a esse respeito: "Enquanto os cinemas baseados na iniciativa privada, sempre em busca de formas aptas a despertar o interesse do público, conhecem permanente florescimento, os cinemas estatais se estiolam nos trilhos da arte dirigida e só encontram público amplo em suas respectivas áreas, onde a exibição de todo o produto nacional é automática e praticamente sem algo que se possa chamar de concorrência".[76] A ação do Estado é, neste sentido, concebida, primeiro enquanto neutralidade, segundo enquanto preservação de um estado demo-

---

(74) Durval Gomes Garcia, "A Hora do Cinema Total", *Filme-Cultura*, n°. 9, abril 1968.
(75) Durval Gomes Garcia, "A Hora do Cinema Total", op. cit.
(76) C. G. Mattos Jr., "Diálogos de Planejamento", *Filme-Cultura*, n.° 21, jul./ago. 1972.

crático que se substancia no mercado. A restrição do elenco de temas, ou a sua ininteligibilidade, implicam uma restrição do público consumidor. Por isso, segundo esses intelectuais, o esteticismo e o cinema novo, diga-se a arte e a política, se associam ao elitismo dos pequenos grupos em contraposição à comunicação universal com o público consumidor. Carlos G. Mattos Jr., ao descrever a realidade do cinema brasileiro, dirá: "Ele saiu de uma fase em que a multiplicidade de realizações experimentais e contestatórias provocou a retração do público. Agora há uma franca procura de narrativas de fácil aceitação popular".[77] O cinema brasileiro encontra finalmente o seu caminho e a sua vocação no descompromisso e no entretenimento do grande público. Isto levará um cineasta como Gustavo Dahl a afirmar que sua principal função seria a higiene mental da população.

O discurso do INC pode ser melhor apreendido quando contraposto ao movimento do cinema novo que se desenvolve durante o mesmo período. Na verdade, o grupo que assume a direção do INC possui, desde meados dos anos 50, uma perspectiva industrialista do cinema brasileiro. José Mário Ortiz Ramos mostra muito bem como ele se opõe a uma corrente nacionalista que tem em Alex Viany uma expressão que se desdobrará posteriormente no cinema novo.[78] Este grupo,que é paulista de origem, procura aplicar ao INC uma perspectiva empresarial semelhante ao da antiga Vera Cruz. Ocorre com o INC o que havíamos observado para o CFC. O Estado se volta para os intelectuais disponíveis, isto é, para aqueles que nas suas áreas específicas afinassem com as propostas do governo militar. Isto significa que existe durante os anos 60 uma luta ideológica que propõe duas visões distintas do cinema brasileiro. Quando se lê o manifesto "Luz e Ação", assinados por personagens como Glauber Rocha, Carlos Diegues, Leon Hirzman, Nelson Pereira dos Santos e outros, pode-se perceber claramente a oposição que se consubstancia entre o cinema do INC e a proposta de produção de autor.[79] O primeiro ponto diz respeito à própria concepção do INC que o manifesto

---

(77) C. G. Mattos Jr., "Diálogos de Planejamento", op. cit.
(78) J. M. Ortiz, op. cit.
(79) "Manifesto Luz e Ação", *Arte em Revista*, n.° 1, 1979.

CULTURA BRASILEIRA E IDENTIDADE NACIONAL   113

considera como uma burocracia que tenta instituir um cinema nacional por decreto. Como as discordâncias não são meramente teóricas, alguns cineastas têm necessidade de se voltar para novas fontes financiadoras, e durante um certo tempo, além dos bancos privados, eles contam com o Caic, órgão estatal, mas limitado ao Estado da Guanabara. O grupo do cinema novo entra, assim, em concorrência com o INC e busca novas alternativas de exploração do mercado cinematográfico. Em 1967 cria-se a Difilm, espécie de cooperativa de distribuição de filmes. Essas tentativas de organização independente fracassam, mas é interessante contrapor o discurso que esses cineastas produzem ao "cinema burocrático" ou à "chantagem do público a qualquer custo", como afirmava o manifesto.

O artigo de Paulo Emílio Salles Gomes é talvez o primeiro documento que descreve com clareza a situação do cinema brasileiro.[80] Ao analisar o conjunto de problemas que articulam produtores, artistas, diretores, exibidores, críticos, ele diagnostica um quadro de "situação colonial", o cinema brasileiro sendo compreendido no interior da história da alienação da sociedade brasileira. O cinema é alienado, isto é, está voltado para o exterior, o estrangeiro, e na medida em que as condições concretas de sua produção estão permeadas por uma realidade colonial que é mais abrangente e o envolve. A tese de Paulo Emílio será retomada por Glauber Rocha, que unifica o momento da teoria e da prática cinematográfica, e ao prognóstico proposto, avança um projeto estético que em princípio se concretizaria no movimento do cinema novo. Como vimos anteriormente, seu manifesto é profundamente fanoniano, e ao cinema digestivo Glauber contrapõe um cinema cuja manifestação cultural mais elevada seria a fome. Neste sentido o cinema novo é violento, agressivo e descortina para o público uma realidade de violência engendrada pela história colonial. O que é importante sublinhar dentro desta perspectiva é que a noção de público está intimamente associada à problemática política. O cinema é "novo" porque é realizado pelos "povos novos" , isto é, pelo escravo a que Hegel se referia na sua dialética do senhor e do escravo. Popular significa neste sentido o desvendamento da "ver-

---

(80) Paulo Emílio Salles Gomes, "Uma Situação Colonial", op. cit.

114 RENATO ORTIZ

dade" da nação. Por isso Glauber dirá que o cinema novo "se marginaliza da indústria porque o compromisso do Cinema Industrial é com a mentira e a exploração".[81] Da mesma maneira que para Sartre a literatura dá ao leitor uma consciência infeliz, o que lhe possibilita tomar consciência da realidade que o envolve, o cinema forneceria ao público uma consciência de sua própria miséria. Neste ponto a proposta do cinema novo se diferencia, por exemplo, da do CPC, o que lhe abre a possibilidade de criar uma estética profundamente original. O cinema politiza não tanto pelo conteúdo de sua mensagem, mas pelo fato de levar o público a uma reflexão sobre sua condição humana. É interessante observar que a problemática do público e do popular se manifesta igualmente em outras esferas artísticas, como o teatro. Tanto o Arena como o Oficina buscam uma relação palco/plateia que seja "nova", isto é, se orientam na direção de uma politização que se adeque ao momento por que passa a sociedade brasileira nos anos 1960. As divergências, tanto no cinema como no teatro, se referem sempre a esta questão do público.[82] A crítica que o CPC faz ao cinema novo se fundamenta, na verdade, sobre os mesmos princípios enunciados pelos cineastas. Quando se afirma, por exemplo, que os filmes são "herméticos", o que se coloca não é uma questão de mercado; para os ativistas do CPC o conteúdo estético "demasiadamente trabalhado" dificultaria o desenrolar do processo político da tomada de consciência. A proposta do CPC era a de se abandonar as preocupações estéticas, mas as divergências, neste caso, eram mais relativas à eficácia política, e não tanto aos princípios.

O INC, ao promover o desenvolvimento do parque industrial cinematográfico, reformula a categoria de popular. Na medida em que o nacional se consubstancia na existência das agências governamentais, popular passa a significar consumo. Com relação à problemática cultural, tratada nos seus diferentes matizes ideológicos nos anos 1960, existe uma despolitização. Poder-se-ia pensar que esta ideologia voltada para o público consumidor fosse característica de uma arte dispendiosa como o cinema, porém, quando

---

(81) Glauber Rocha, "Uma Estética da Fome", op. cit., p. 17.
(82) Ver documentos sobre teatro publicados em *Arte em Revista*, n.º 5, 1982.

CULTURA BRASILEIRA E IDENTIDADE NACIONAL 115

Gustavo Dahl enuncia que "mercado é cultura", sem o saber ele expressa uma realidade que transcende a esfera cinematográfica e que se refere ao domínio cultural como um todo, ao Espírito de uma época.[83] Ao se analisar os documentos publicados pelo MEC, através de instituições como o DAC e a Secretaria de Assuntos Culturais, pode-se perceber o quanto a dimensão do consumo e da distribuição passa a ser valorizada. O discurso do CFC deixava praticamente de lado o aspecto da distribuição e do consumo dos bens culturais. Isto se deve sobretudo a uma concepção que associa a noção de cultura à de qualidade, atribuindo-se o domínio da quantidade ao reino do "tecnicismo". Os intelectuais tradicionais, ao discutirem um projeto de política de cultura, colocam invariavelmente a ênfase na preservação do patrimônio. Os órgãos como o DAC, posteriormente a SEAC, a Funarte, invertem em grande parte esta perspectiva. As diretrizes dessas instituições apontam fundamentalmente para três aspectos: o incentivo da produção, a dinamização dos circuitos de distribuição e o consumo dos bens culturais.[84] Não que a dimensão da defesa do patrimônio esteja excluída dessas instituições, ela deixa no entanto de ser o ponto central de uma ideologia cultural.[85] O documento de Política Nacional de Cultura é bastante claro ao analisar as relações entre cultura e desenvolvimento: "Uma pequena elite intelectual, política e econômica pode conduzir, durante algum tempo, o processo de desenvolvimento. Mas será impossível a permanência prolongada desta situação. É preciso que todos se beneficiem dos resultados alcançados. E para este efeito é necessário que todos participem igualmente da cultura nacional".[86] Participação significa,

---

(83) Gustavo Dahl, "Mercado é Cultura", *Cultura*, n°. 24, jan.-mar. 1977.
(84) Ver documentos como: "Bases para uma política nacional integrada", doc. interno, SEAC, s.d.p.; "O Desenvolvimento Cultural — Objetivos", doc. interno, SEAC, s.d.p.; "Diretrizes para uma Política Nacional de Cultura", doc. interno, MEC, s.d.p.; "Encontro Nacional de Cultura", SEAC, Rio de Janeiro, 1977, e vários outros.
(85) Sergio Miceli procura, por exemplo, apreender como no interior das instituições de cultura do Estado uma "vertente executiva" se contrapõe a uma outra "patrimonial". Ver "O Processo de Construção Institucional na Área Cultural Federal — Anos 70", Encontro sobre Cultura e Estado, IDESP, São Paulo.
(86) Política Nacional de Cultura, *op. cit.*, p. 9.

116 RENATO ORTIZ

portanto, acesso ao consumo dos bens culturais. Não é por acaso que a revista *Cultura*, órgão oficial do CFC, passa para as mãos do MEC, e que logo após a divulgação do Plano Nacional de Cultura sofre uma reformulação no seu projeto gráfico e na sua linha editorial. O número 20 da revista abre com uma introdução do ministro Ney Braga que sugestivamente se intitula "Cultura para o Povo". Na apresentação o ministro esclarece: "O lançamento da revista *Cultura* sob a nova forma que esta edição inicia responde a essa preocupação. Ela continuará saindo na sua forma originária, destinada a quem já procurava desde o começo. E sem abandonar os velhos amigos (os intelectuais tradicionais?) estamos aqui saindo em busca de novos, mais numerosos e mais jovens de todas as classes sociais".[87] E referindo-se ao primeiro ponto de uma política de cultura, o editorial afirma: "O Ministério rejeita a tese de que a atividade criadora e a função de seus benefícios é privilégio das elites. Essa concepção corresponde a regimes sociais estratificados, aristocráticos ou oligárquicos. Uma das manifestações mais elevadas de qualquer regime que busca a democracia como meta a atingir ou a realidade a aperfeiçoar é a da difusão das atividades culturais". Os aspectos de difusão e de consumo dos bens culturais aparecem assim como definidores da política do Estado, a eles se associa ainda a ideia de "democracia". O Estado seria democrático na medida em que procuraria incentivar os canais de distribuição dos bens culturais produzidos. O mercado, enquanto espaço social onde se realizam as trocas e o consumo, torna-se o local por excelência, no qual se exerceriam as aspirações democráticas.

Dentro desta perspectiva, o consumo transforma-se em índice de avaliação da própria política cultural; um relatório sobre as atividades culturais do Estado dirá: "O rendimento de uma política cultural se mede pelo aumento do índice de consumo e não pelo volume de iniciativas".[88] Novamente encontramos a oposição qualidade/quantidade, mas o elitismo a que se referem os documentos oficiais das Secretarias de Cultura diz respeito à qualidade, que,

---

(87) Ney Braga, "Cultura para o Povo", *Cultura*, n.° 20, jan.-mar. 1976.
(88) *Bases para uma Política Nacional Integrada de Cultura*, MEC/ SEAC.

CULTURA BRASILEIRA E IDENTIDADE NACIONAL   117

analisada em termos de uma visão dicotômica, se contrapõe à dimensão quantitativa da produção cultural. Da mesma forma que o INC critica o "esteticismo" do cinema novo, as instituições culturais governamentais em sua crítica ao "elitismo" procuram dinamizar a esfera da distribuição e do consumo. Uma entrevista do diretor da Funarte ilustra bem este tipo de ideologia: "Antes da qualidade é preciso provocar, desenvolver o interesse pela manifestação cultural... Nossa política se baseia em dois aspectos principais. Facilitar as condições de trabalho e criar possibilidades de consumo deste trabalho. A nossa preocupação maior não é com a qualidade do artista, mas com o acesso da cultura ao maior número possível de pessoas". O "acesso à cultura" se apresenta pois como argumento ideológico essencial, ele define o grau de "democratização" da própria sociedade brasileira. Vários documentos oficiais insistem na necessidade de se vincular o sistema de ensino ao desenvolvimento cultural; a escola é vista como um espaço importante de formação de hábitos e de expectativas culturais, o que possibilita uma extensão do consumo. Ao se afirmar, por exemplo, que o "homem brasileiro precisa se habituar a consumir cultura em sua vida diária",[89] o Estado se propõe, por um lado, realizar uma potencialidade cultural do mercado consumidor, por outro assegurar uma ideologia de "democratização" que concebe a distribuição cultural como núcleo de uma política governamental.

O problema crucial que deve enfrentar o Estado para implementar uma política de difusão cultural diz respeito, porém, ao financiamento dos programas culturais. Como veremos mais adiante, a distância entre a ideologia e a realidade é muito grande. No caso da indústria cinematográfica, apesar dos riscos, a conversão do bem cultural em um bem rentável está, de alguma forma, assegurada pelo consumo de massa. O mesmo não ocorre com as áreas atendidas por instituições como a Funarte ou a Fundação Pró-Memória. Nesses casos, o retorno do capital aplicado não está imediatamente assegurado. Os setores culturais do aparelho estatal têm, assim, a necessidade de convencer as outras áreas de influência de que o investimento cultural é importante, mais ainda,

_____
(89) Ver os documentos da SEAC, "O Desenvolvimento Cultural no III PND", e "Programa Plurianual", 1980.

118 RENATO ORTIZ

que algumas vezes pode até ser fonte de lucro. Falando para os militares da ESG, o secretário do MEC expressa seu otimismo: "Acredito que o estabelecimento de uma política cultural conduzirá a um equilíbrio entre valor econômico e valor social através do eixo cultural. Cultura não é luxo, logo não pode ser classificada como não utilitária e não rentável".[90] Na verdade ele exprime suas convicções pessoais de que uma política cultural bem orientada poderia se transformar, a curto ou a médio prazo, num real investimento de capital. É curioso observar que até mesmo em atividades de caráter patrimonial, como é o caso da Fundação Pró-Memória, esta dimensão mercadológica da rentabilidade se manifesta. Referindo-se aos bens do patrimônio histórico, Aloísio de Magalhães, diretor da Fundação, afirma: "Um dos objetivos (da Fundação) será o de transformar os bens da União em bens rentáveis, logicamente quando isso for possível e não oferecendo riscos ao imóvel. Assim, faremos o levantamento para saber quais os imóveis que poderão ser transformados em albergues turísticos e entregues, por contrato, às companhias hoteleiras para exploração comercial e que deverão ser conservados".[91] Procura-se desta forma integrar uma política de cultura a uma política de turismo, e em parte resolver o descompasso entre o investimento do capital e o consumo lucrativo dos bens culturais.

O popular revisitado

A partir da gestão Portei a (1979), nos documentos oficiais relativos à área da cultura uma nova dimensão discursiva é sublinhada; são inúmeros os textos que se referem a um "planejamento participativo" voltado para o "interesse comunitário" das populações de baixa renda.[92] Sergio Miceli observa, em seu estudo sobre

---

(90) João G. de Aragão, Secretário geral do MEC, "Educação, Cultura e Desporto", palestra na ECEMAR, Rio de Janeiro, 8.10.1979.

(91) Ver "Cultura Trocada em Milhões", *Jornal do Brasil*, 12.4.1979.

(92) Ver Mareio Tavares d'Amaral, discurso no I Encontro Nacional dos Conselhos Estaduais de Cultura, MEC, SEAC; *Linha de Trabalho para Obtenção de Indicadores Culturais*, SEAC; Pedro Demo, *Planejamento Participativo*, MEC; *Educação Comunitária*, MEC, outubro 1979; *O Desenvolvimento Cultural: Objetivos*, SEAC.

CULTURA BRASILEIRA E IDENTIDADE NACIONAL   119

a política cultural nos anos 70, que a tentativa do grupo Portela fracassa.[93] Cabe, no entanto, compreender o porquê desta proposta que procura reorientar em parte os esforços de investimentos na área cultural. Isto nos remete a uma análise da ideia de popular nos documentos produzidos pelas instituições oficiais.

A Secretaria de Assuntos Culturais define durante este período duas linhas mestras de sua política: a institucional e a comunitária.[94] A institucional, que se volta para a promoção de eventos, determina um tipo de atividade que as instituições governamentais vinham realizando até o momento — por exemplo, apoio às produções artísticas, incentivo à difusão cultural etc. A linha comunitária, que se apresenta como uma novidade, se voltaria para as populações de baixa renda; no nível mais imediato ela procuraria garantir um mercado para as produções populares. Um exemplo: criar um mecanismo de distribuição do artesanato popular, assegurando desta forma um nível de subsistência para as camadas populares produtoras. A ação comunitária revela assim um primeiro sentido: trata-se de se transformar em bens rentáveis a produção popular. Este significado é no entanto secundário no discurso oficial, na verdade a definição primeira do conceito de comunidade se refere à sua qualidade ideológica, seja, o de cultura da pobreza. Partindo de uma crítica da noção de cultura, os intelectuais da gestão Portela opõem o saber popular a uma cultura de elite. De certa forma retoma-se uma argumentação conservadora desenvolvida pelo pensamento tradicional sobre o popular. Vários documentos de Pedro Demo procuram neste sentido distinguir três tipos de cultura: 1) a cultura da identidade nacional, que se prende à criação de valores culturais que identificam o povo brasileiro; 2) a cultura de subsistência; 3) a cultura alienada. Referindo-se a esta última o autor afirma: "Esta cultura intelectualizada, que acha importante saber nomes de comida francesa, conhecer música clássica, ter boas maneiras, ir ao teatro, apreciar filmes herméticos e canções de protesto político, tem seu valor, porque a ninguém faz

---

(93) Sergio Miceli, "O Processo de Construção Institucional na Área Cultural Federal (Anos 70)", op. cit.
(94) Márcio Tavares d' Amaral, "Sociedade Brasileira e Política Cultural", SEAC, janeiro 1980.

120 RENATO ORTIZ

mal apreciar a literatura, a música, o teatro, o balé etc. Mas é preciso perceber que isto nada tem a ver com os problemas sociais do país".[95] O contraste ao "elitismo" se consubstanciaria no polo popular através de manifestações como: "a rede de ajuda mútua desenvolvida pelos migrantes através dos laços de parentesco, a convivência com a selva amazônica por parte do caboclo, a cantiga popular, juntamente com a literatura de cordel, o cantador, a farmacopeia popular".[96] O tema da democracia reaparece assim sob uma nova roupagem; à "cultura de elite de minoria" se contrapõe uma "cultura de sobrevivência da maioria". O Estado, dentro desta lógica discursiva, deveria, em princípio, se voltar para uma atividade "realmente" popular. Dirá um documento: "Um povo sem teatro, sem arte, sem produção artística, sem vida noturna sofisticada é um povo sem dúvida pobre, mas há ainda pobreza maior, a saber, a falta de condições básicas de estrita subsistência material.[97] E um outro texto acrescenta: "Enquanto o povo viver em pobreza aguda, não lhe faz nenhuma falta desconhecer quem seja o maestro mais importante do país e muito menos do mundo. O Estado não deveria se empenhar neste tipo de atividade, mesmo porque a elite, que a aprecia, a pode financiar".[98]

O leitor incauto poderá pensar que uma mudança subreptícia e radical se processaria no MEC, uma leitura mais atenta esclarece porém a ilusão de ótica momentânea. Os próprios documentos se encarregam de eliminar o mal-entendido ao propor esta definição: "Cultura de subsistência significa a arte de sobreviver num quadro de pobreza".[99] Retoma-se desta maneira o conceito de cultura da pobreza proposto por Oscar Lewis em seus estudos das comunidades mexicanas. A noção se reveste agora de um significado antropológico, isto é, ela é tomada como elemento que regula o cotidiano da vida dos homens. Mas cultura significa também adequação do homem ao meio ambiente, e como o meio ambiente das

---

(95) P. Demo, *Política Social da Cultura*, MEC, Brasília, 1980, p. 4.
(96) P. Demo, *Política Social da Cultura*, op. cit., p. 3.
(97) P. Demo, *Indicadores Culturais*, MEC, outubro 1978, p. 6.
(98) P. Demo, *Política Social da Cultura*, op. cit., p. 4.
(99) P. Demo, *Relevância da Dimensão Cultural para a Política Social*, MEC, novembro 1979, p. 26.

CULTURA BRASILEIRA E IDENTIDADE NACIONAL 121

classes subalternas lhes é adverso, cultura significa criatividade. Dentro desta perspectiva pode-se afirmar: "Usa-se muitas vezes o termo estratégia de sobrevivência, imaginando-se que o pobre, em boa medida, reinventa sua vida cada dia. A própria análise dos dados que temos sobre a realidade nos leva a este posicionamento, porque a estatística, segundo a qual mais de 1/4 das famílias ganha até um salário mínimo mensal, não é tanto um dado, quanto um atestado de óbito. É matematicamente inexplicável a sobrevivência de uma família geralmente numerosa com tais níveis de renda. Daí suspeita-se que deve haver por trás esquemas informais de subsistência, à base do recurso ao mercado informal, às horas extras de trabalho, à mendicância, ao autoconsumo e assim por diante". E se acrescenta: "Se cultura é criatividade, não há criatividade maior que sobreviver dentro de um mercado de trabalho tão excludente".[100] A crítica à cultura "elitista" se esclarece pouco a pouco. O Estado parte do reconhecimento das dificuldades econômicas não para resolvê-las, mas para conservá-las. O diagnóstico descobre nas causas materiais os problemas mais gerais da sociedade brasileira, porém a terapia se propõe a promover a doença. Curiosa medicina. A oposição entre "elite" e "popular" é no caso puramente retórica, pois os documentos já nos haviam assegurado a manutenção da linha institucional, que em princípio contraria a perspectiva "comunitária" enunciada. Fica no entanto a pergunta, qual o motivo desta mudança no discurso governamental?

Acredito que a resposta pode ser dada em dois níveis: econômico e político. O que chama a atenção no conceito de cultura de subsistência é o seu caráter materialista. O mesmo leitor, agora mais atento, se lembraria talvez de autores como Plekhanov, mas o materialismo proposto é outro, ele apenas mostra que a ênfase no aspecto da renda se abre para as preocupações econômicas. Ora, o período pós-1979 se caracteriza sobretudo por ser um momento de crise econômica, o que de imediato compromete toda e qualquer política de cultura. Na discussão das prioridades o Estado relega para segundo plano a educação, a saúde e a cultura, seja, a dimensão de uma política social. Parece-me que é

---

(100) P. Demo, *Política Social da Cultura*, op. cit., p. 3.

122 RENATO ORTIZ

a consciência desta crise, e por conseguinte as dificuldades que têm as instituições de implementar sua política, que leva a uma reorientação, mesmo retórica, da política governamental. Os documentos reconhecem esta situação quando afirmam, por exemplo, que "é praticamente impossível a generalização do acesso à cultura, assim como é impossível que toda a população obtenha formação superior".[101] O otimismo do II PND cede, portanto, lugar a um pessimismo realista. O Estado não pode, no entanto, aceitar a realidade tal qual ela se apresenta, pois em última instância ele se voltaria contra suas próprias bases ideológicas. necessário que o discurso trabalhe o real, pois a questão do consumo, uma vez sendo considerada impossível de ser simbolicamente resolvida, torna-se um problema a ser reinterpretado. A crítica do elitismo se estende assim àquelas produções que numa situação ideal deveriam ser partilhadas por todos. Cabe neste ponto sublinhar que é durante a gestão Portela que se iniciam, sob a mesma argumentação, os estudos sobre o ensino pago nas universidades públicas.[102] Ao considerar "elitista" a universidade ou as produções artísticas, o Estado fabrica uma argumentação que lhe permite justificar suas prioridades, que todos sabemos se voltam para a área econômica.

Creio que, em certa medida, uma segunda linha de interpretação pode ser avençada a título de hipótese. O programa plurianual da Secretaria de Assuntos Culturais define a ação comunitária da seguinte maneira: "Ela dar-se-á através de um trabalho de base junto às comunidades, visando sua conscientização para o valor do patrimônio cultural e natural da região, a descentralização e deselitização das atividades culturais, identificação e mobilização de animadores culturais espontâneos, o envolvimento de associações e lideranças comunitárias e a busca de fontes alternativas de recursos".[103] Não estaria neste caso o Estado procurando envolver as lideranças das chamadas comunidades de base? A hipótese não é descabida. A ênfase dada às populações de baixa renda, à periferia urbana, às populações carentes da área rural, marcam

---

(101) P. Demo, *Indicadores* ..., op. cit., p. 5.
(102) Ver *Caderno da ANDES*, n.° 1, 1981.
(103) *Programa Plurianual*, op. cit., p. 5.

CULTURA BRASILEIRA E IDENTIDADE NACIONAL   123

uma vontade política de caráter mais abrangente.[104] Neste sentido o discurso do secretário de Cultura do Ministério é claro quando considera a ação comunitária uma "opção política". Devemos lembrar que é durante os anos 1970 que a ação da Igreja, e de alguns segmentos de partidos políticos, se estrutura nas periferias como movimentos políticos. O que caracteriza esses movimentos sociais é justamente seu caráter organizativo enquanto Associações de Bairros, Comunidades Eclesiais de Base, movimentos de favelas etc. Uma política cultural comunitária proporcionaria ao Estado a possibilidade de intervir numa esfera da vida social sem abrir mão de sua política econômica recessiva. A valorização da chamada cultura de subsistência não seria um passo possível nessa direção?

Observações não conclusivas

Contrariamente ao pensamento tradicional, a ideologia dos empresários da cultura sublinha a dimensão da distribuição e do consumo no lugar da preservação dos bens culturais. Ela se associa assim a práticas burocráticas precisas que permitem o desenvolvimento da gestão e do planejamento a nível estatal. Dentro desta perspectiva de racionalização das empresas abre-se a possibilidade de se implantar uma política de cultura a partir de diretrizes globais consubstanciadas em planos de ação. É necessário compreender, porém, que o antagonismo das ideologias tradicional e administrativa não implica exclusão. Da mesma forma que as religiões modernas bricolam o material tradicional das práticas mágico-religiosas, o discurso do Estado, produzido por diferentes grupos sociais, procura soldar os elementos de um pensamento tradicional no interior de uma ideologia de mercado. Na medida em que o Conselho Federal de Cultura é definido simplesmente como órgão normativo, tem-se que os intelectuais tradicionais trabalham para a elaboração de uma ideologia de reserva, que é utilizada enquanto legitimação da ontologia da cultura brasileira. A organicidade de uma política cultural se manifesta, porém, no seio

---

(104) Ver documentos como: *Programa de Ações Socioeducativo-Culturais para as Populações Carentes do Meio Urbano*, SEAC, novembro 1979; *Programa de Ações Socioeducativas e Culturais para o Meio Rural*, SEAC.

124 RENATO ORTIZ

da prática administrativa, pois esta se encontra em adequação à realidade da sociedade. Tudo se passa como se os intelectuais tradicionais fossem os decifradores do Ser nacional, eles se ocupariam, como os filósofos, do reino da qualidade, caberia aos administradores, uma vez assegurada a plenitude da cultura brasileira, realizá-la concretamente. O Estado manipula a categoria de memória nacional no interior de um quadro de racionalização da sociedade. Esta memória lhe possibilita, por um lado, estabelecer uma ponte entre o presente e o passado, o que o legitima na história de um Brasil sem rupturas e violência. Por outro, ela se impõe como memória coletiva, isto é, como mito unificador do Ser e da sociedade brasileira. A sociedade mudou mas sua "essência" seria idêntica à sua própria raiz. Como observa Halbwachs, a memória é sempre revivida pelo presente, o que significa que o discurso da preservação da identidade se dá no interior da concretude do desenvolvimento capitalista. O esforço de conservação, realizado por instituições como a Fundação Pró-Memória, não é simplesmente uma volta ao passado, mas uma inserção no presente a partir de uma ideologia conservadora. Aloísio Magalhães é uma figura típica deste empreendimento atual; empresário, dinâmico, ele procura se ocupar do que existe de mais tradicional na história das ideias: a memória do homem brasileiro. Significativamente, como se faz no Centro de Referência Cultural, esta memória será tratada pela linguagem e pela técnica mais avançada de que dispomos: o computador.[105] Não existem dois discursos governamentais sobre a cultura, um tradicional e outro administrativo, mas um único que rearranja e reinterpreta as peças relativas à sociedade brasileira. No entanto, esta reinterpretação se passa no interior de uma situação histórica determinada; é isto que impossibilita o grupo tradicional de converter suas aspirações em vontade política.

---

(105) o tratamento sofisticado da memória pelo Centro Nacional de Referência Cultural pode ser apreendido pelos seus relatórios. "O CNRC - Idéias Básicas em sua Instalação", Relatório n.° 1, 20.7.1975; "Observações e Recomendações sobre o Projeto do CNRC", David Hays, Relatório n.° 2, 28.7.1975; "Algumas Recomendações Propostas ao CNRC", Abraham A. Moles, Relatório n.° 4, 22.8.1975; "Um sistema de informações para o CNRC", George Freund, Relatório n°. 7, 20.11. 1975; "Instrumento de Análise Planejamento, Cultura", Fausto Alvim, Relatório n.° 17,30.9.1976; etc.

CULTURA BRASILEIRA E IDENTIDADE NACIONAL   125

Um ponto para o qual chamamos a atenção ao longo de nossa análise é esta necessidade que tem o Estado em se definir como espaço da neutralidade. Isto aparece claramente nos textos que se referem a diferentes aspectos, como a realização de uma política de cultura, a conservação da identidade brasileira ou a atuação no mercado de bens simbólicos. As relações de poder são desta forma encobertas, o que leva a uma insistência obsessiva de um Estado autoritário a se apresentar como democrático. Dentro desta perspectiva as categorias de "nacional" e "popular" são reelaboradas em função de um discurso que tende a ser o mais globalizante possível. Evidentemente, existe um hiato entre intenção e realidade, o que se propõe nunca se concretiza inteiramente. Mas me parece que seria equivocado considerar o discurso do Estado como uma mentira; acredito que seria mais correto pensá-lo como uma ideologia que procura de certa forma tornar-se hegemônica. O exemplo da cultura de subsistência possui um efeito retórico, porque seria impossível torná-lo hegemônico, a menos que fosse para convencer as populações periféricas de que a fome é uma virtude por excelência. No entanto o conceito de democracia, ligado a uma perspectiva de difusão mercadológica, é mais amplo. Nós o encontramos, por exemplo, como ideologia trabalhada pelas indústrias culturais. Como observam Adorno e Horkheimer, quando forjam o conceito de indústria cultural, a noção de cultura de massa pressupõe a ideia de democracia, pois as agências, na medida em que desempenhariam meramente uma função de distribuição, seriam neutras. O Estado e as indústrias culturais despolitizam a questão da cultura, uma vez que as relações sociais são apreendidas como "expressão popular". O discurso de instituições como TV Globo, Abril Cultural, empresas de discos em vários pontos se assemelham à sua ideologia. Até mesmo as multinacionais, agindo no interior do mercado brasileiro, recuperam as categorias de nacional e de popular. A direção para a qual aponta o desenvolvimento do capitalismo brasileiro nos leva a pensar que a ação estatal e privada caminhariam no sentido da instauração de uma hegemonia cultural. As telenovelas, assim como o consumo de produtos distribuídos e financiados pelo Estado, contribuem para que as relações de poder se reproduzam no interior da própria cultura. É interessante observar que este processo não se acom-

126 RENATO ORTIZ

panha, pelo menos até o momento, de uma hegemonia política do Estado brasileiro. Entretanto, se a reprodução das relações de poder não se estrutura ao nível político-partidário, tem-se que elas se manifestam politicamente na assimilação e consumo dos bens culturais. Se político-partidariamente constatamos uma crise institucional, culturalmente eu diria que existe uma tendência à organicidade em torno do que se compreende como cultura brasileira. É bem verdade que este processo de hegemonização, que teria necessariamente de ser analisado sob o ângulo daqueles que recebem os bens culturais, se concentra nos centros urbanos. Não obstante, ele parece se delinear como uma orientação futura do desenvolvimento do capitalismo brasileiro, daí a importância em analisar as linhas e tendências de sua evolução.

Estado, cultura popular e identidade nacional

Pode-se dizer que a relação entre a temática do popular e do nacional é uma constante na história da cultura brasileira, a ponto de um autor como Nelson Werneck Sodré afirmar que só é nacional o que é popular. Em diferentes épocas, e sob diferentes aspectos, a problemática da cultura popular se vincula à da identidade nacional. Sílvio Romero, precursor dos estudos sobre o caráter brasileiro, definiu o seu método de trabalho como "popular e étnico", isto porque o conceito de povo que predominava junto aos intelectuais do final do século XIX era o da mistura racial, o brasileiro se apresentando como raça mestiça. Não é por acaso que Câmara Cascudo considera Sílvio Romero como um dos fundadores da tradição dos estudos folclóricos; ele na verdade procura encontrar na cultura popular os elementos que em princípio constituiriam o homem brasileiro.[1] Os escritos de Gilberto Freyre retomam, nos anos 1930, as mesmas preocupações dos intelectuais do final do século. É bem verdade que os argumentos racistas que pontilham as análises de Sílvio Romero, Nina Rodrigues e Euclides da Cunha são deixados de lado. Não obstante, o brasileiro será caracterizado como homem sincrético, produto do cruzamento de

---

(1) Câmara Cascudo, op. cit. Ver também Basilio Magalhães, *O Folclore no Brasil*, Rio de Janeiro, 1939.

128 RENATO ORTIZ

três culturas distintas: a branca, a negra e a índia. O conceito de povo permanece, no entanto, relativamente próximo àquele elaborado anteriormente, uma vez que o brasileiro seria constituído por este elemento popular oriundo da miscigenação cultural. Identidade nacional e cultura popular se associam ainda aos movimentos políticos e intelectuais nos anos 1950 e 1960 e que se propõem redefinir a problemática brasileira em termos de oposição ao colonialismo. Poderíamos ainda multiplicar os exemplos. O movimento modernista, que busca nos anos 1920 uma identidade brasileira, se prolonga em Mário de Andrade em seus estudos sobre o folclore, e na sua tentativa de criar um Departamento de Cultura, que entre outros aspectos se volta para a cultura popular.[2]

Se alargarmos o horizonte de nossas reflexões observamos que a relação entre nacional e popular se manifesta em outras situações históricas e sob diferentes perspectivas teóricas. É o caso do processo de descolonização africana, descrito, por exemplo, na obra de Franz Fanon. Fanon se preocupa com as práticas religiosas, com a cultura das etnias negras e muçulmanas, com a utilização das técnicas modernas pelas classes populares (ver, por exemplo, seu artigo sobre o rádio no livro *Sociologia de uma Revolução*), enfim, com uma série de elementos que caracterizam o popular, mas associando-o intimamente a um projeto de libertação nacional. A luta contra o colonialismo é simultaneamente nacional e popular. Os escritos sobre a África têm como pano de fundo a criação de um Estado nacional argelino no interior de uma união pan-africana de nações independentes do Terceiro Mundo. No embate anticolonialista, o que deve ser ressaltado aqui é a vinculação entre identidade nacional e Estado nacional; como vimos, somente desta forma poderia dar-se a libertação do homem africano. A literatura marxista nos fornece ainda um rico material para reflexão. É bem verdade que o marxismo clássico demonstrou pouco interesse no estudo da problemática que estamos considerando. A razão disto é talvez devida ao fato que os conceitos de nação e de povo se apresentem, para Marx e Engels, como insuficientes, o marxismo se colocando como um pensamento universalista e cal-

---

(2) Ver Joan Dassin, *Política e Poesia em Mário de Andrade*, São Paulo, Duas Cidades, 1978.

CULTURA BRASILEIRA E IDENTIDADE NACIONAL 129

cado sobre o conflito de classe.[3] A problemática do nacional é profundamente ambígua na tradição marxista, apesar de ter sido amplamente discutida no momento de formação e expansão dos partidos social-democratas. Com Gramsci, porém, esta tradição é reorientada, e talvez pela primeira vez se trava um debate em torno do nacional-popular, uma das questões centrais dos *Cadernos do Cárcere*.[4] Como entender esta mudança? Sem querer aprofundar a questão neste estudo, creio que uma resposta preliminar poderia ser avençada. A obra de Gramsci é escrita sob o forte impacto da unificação italiana, o que faz com que toda a problemática que se refira ao Estado esteja de alguma forma ligada à construção da nação italiana. A presença desta situação histórica não se faz sentir somente em Gramsci. Paul Piccone observa que até mesmo o pensamento político de Hegel é reorientado por Spaventa e de Sanctis, pois é associado diretamente às lutas nacionais. Contrariamente às especulações teóricas dos jovens hegelianos, o idealismo se vinculou na Itália à realidade política e social do século XIX.[5] A questão do nacional-popular emerge, portanto, junto a uma tradição de pensamento que procura compreender as relações do moderno Estado italiano com uma possível hegemonia cultural e ideológica dos diferentes grupos sociais.[6] A compreensão da temática do Ressurgimento, que narra a construção da unificação

---

(3) Muito embora a tradição teórica marxista tenha se interessado pouco pela temática do popular, existe um movimento interessante na União Soviética que de uma certa forma retoma o problema que estamos colocando. Refiro-me ao Proletkultur, movimento artístico e cultural que procurou desenvolver logo após a revolução socialista uma "autêntica" cultura "proletária" no país. O que me parece importante sublinhar neste exemplo é que a busca de uma cultura proletária coincide com o nascimento do novo Estado socialista soviético. Ver Bogdanov, *La Science, L'Art et la Classe Ouvrière*, Paris, Maspero, 1977; B. Arvatov, *Acte, Produção e Revolução Proletária*, São Paulo, Moraes Ed., 1977; S. Fitzpatrick, *Lunacharsky y la Organización Soviética de la Educación e de las Actes*, México, Siglo Veinte y Uno, 1977.

(4) Ver Gramsci, *Literatura e Vida Nacional, op. cit.; Maquiava!, a Politica e o Estado Moderno*, Rio de Janeiro, Civilização Brasileira, 1968; // *Risorgimento*, Turim, Ed. Riuniti, 1975.

(5) Paul Piccone, "From Spaventa to Gramsci", *Telos*, n.° 31, Primavera 1977.

(6) Ver R. Ortiz, "Gramsci: Problemas de Cultura Popular", *in A Consciência Fragmentada, op. cit.*

da nação italiana pela burguesia, é crucial para Gramsci, pois é através dela que ele desenvolve grande parte de sua teoria política. O nacional e o popular devem por isso ser remetidos a uma dimensão que os antecede e os transcende, isto é, à problemática do Estado.

Se as observações que fizemos são corretas, creio que poderíamos generalizar e afirmar que a relação entre nacional e popular se manifesta no interior de um quadro mais amplo, o Estado. Esta relação, que aparece explicitamente nos escritos de Fanon e de Gramsci, pode a meu ver ser reencontrada no caso brasileiro. Nos estudos considerados neste livro a questão do Estado se coloca de maneira recorrente. A obra de Sílvio Romero, Nina Rodrigues e Euclides da Cunha se insere na tradição de pensamento do século XIX, que procura insistentemente definir o fundamento do ser nacional como base do Estado brasileiro. O objetivo desses intelectuais é claro, eles se propõem a compreender as crises e os problemas sociais e elaborar uma identidade que se adeque ao novo Estado nacional. Durante o período em que escreve Gilberto Freyre recoloca-se a questão do Estado. Nesse momento, que alguns historiadores chamaram de "redescoberta do Brasil", todo movimento de compreensão da sociedade brasileira se insere no contexto mais amplo de redefinição nacional. A revolução de 1930, o Estado Novo, a transformação da infraestrutura econômica colocam para os intelectuais da época o imperativo de se pensar a identidade de um Estado que se moderniza. A problemática do nacional e do popular nos anos 1950 e 1960 também se refere às questões econômicas e políticas com as quais se debate o Estado brasileiro no período. As tentativas do ISEB de decifrar uma "essência" brasileira, as discussões em torno do que seria verdadeiramente nacional e popular correspondem a um momento em que existe uma luta ideológica que se trava em torno do Estado. Por fim, vimos que com o golpe militar o Estado autoritário tem a necessidade de reinterpretar as categorias de nacional e de popular, e pouco a pouco desenvolve uma política de cultura que busca concretizar a realização de uma identidade "autenticamente" brasileira.

Se é verdade que a relação entre o nacional e o popular integra o quadro mais abrangente do Estado, é necessário se perguntar que tipo de relação é esta. Gostaria de responder a essa questão retomando a

CULTURA BRASILEIRA E IDENTIDADE NACIONAL   131

noção de memória, e de aproximar a problemática da cultura popular do Estado através da relação entre memória coletiva e memória nacional. Proponho-me assim analisar criticamente a afirmação de que o nacional se definiria como a conservação "daquilo que é nosso", isto é, a memória nacional seria o prolongamento da memória coletiva popular. Para tanto, trabalharei dois exemplos, o candomblé e alguns tipos de manifestações folclóricas, para, em seguida contrapô-los ao problema da identidade e do Estado.

Os elementos da memória coletiva

Ao estudar os cultos afro-brasileiros, Roger Bastide, caracterizando-os como "miniatura da África", vai procurar compreendê- los através do conceito de memória coletiva de Halbwachs.[7] Dentro desta perspectiva pode-se apreender os mitos e as práticas africanas como processos de reatualização e de revivificação que se manifestam no ritual das celebrações religiosas. O candomblé, ao definir um espaço social sagrado, o terreiro, possibilita a encarnação da memória coletiva africana em determinados enclaves da sociedade brasileira. Neste sentido, a origem é recorrentemente relembrada e se atualiza através do ritual religioso. Os inúmeros ritos reproduzem as crenças e as práticas dos ancestrais negros, como por exemplo o ritual de iniciação que guarda nos terreiros tradicionais da Bahia uma semelhança profunda com os da África.[8] A cosmologia dos deuses africanos se introduz assim no mundo afro-brasileiro do candomblé, a dança e o transe reproduzindo os gestos e os atributos imemoriais dos orixás. Um exemplo: uma lenda conta que Xangô, deus do trovão, tinha três mulheres: Iansã, Oxum e Obá, das quais Oxum era a favorita. Um dia Obá pede a Oxum o segredo que fazia com que Xangô a considerasse sempre como mulher preferida. A maliciosa deusa do amor, escondendo

---

(7) R. Bastide, *As Religiões Africanas no Brasil,* op. cit.; Maurice Halbwachs, *La Mémoire Collective,* Paris, PUF, 1968.

(8) Ver Pierre Verger, *Dieux d'Afrique,* Paris, Hartmann, 1955, e "Premiére Céremonie d'Initiation au Culte des Orishas Nago à Bahia au Brésil", *Revista do Museu Paulista,* São Paulo, vol. IX, 1955.

132 RENATO ORTIZ

seu rosto mentiroso por detrás de um lenço, contou-lhe que havia cortado uma orelha para cozinhá-la na comida de Xangô. Este, comendo o fetiche, ligou-se a ela para sempre numa aliança erótica. Obá, acreditando na mentira, corta sua orelha e segue as prescrições de Oxum. Quando Xangô prova seu prato predileto, enojado, chama Obá, que aparece com seu rosto desfigurado. Sua feiúra aumenta ainda mais a cólera de Xangô, que agora possuía novos argumentos para rejeitá-la de vez. Nos candomblés nagôs, quando Obá desce no terreiro, ela dança com uma orelha tapada com um lenço e se, por acaso, ela encontra com uma filha de Oxum, se precipita sobre esta e inicia uma briga infernal. Os gestos dos deuses, incorporados nos seus cavalos-de-santo, repetem assim as histórias míticas.

O candomblé tende a manter uma tradição fixada nos tempos passados. Esta dimensão de preservação da tradição se manifesta na sua estrutura de culto assim como na ênfase que se dá à transmissão oral do conhecimento. Vários autores insistem na oposição que existe entre o saber escrito e o saber oral. Juana Elbein mostra que o "axe", força sagrada, transmite-se de pessoa para pessoa, o que privilegia a comunicação face a face da memória africana.[9] Existem, pois, indivíduos que detêm a totalidade do conhecimento (ou parte dele) desta memória, enquanto que outros, os neófitos, são pouco a pouco iniciados neste universo de saber. Não se pode, porém, pensar o processo de rememorização como sendo estático, a tradição nunca é mantida integralmente. O estudo dos cultos afro-brasileiros mostra a existência dos fenômenos de aculturação e sincretismo que indicam precisamente o aspecto das mutações culturais. No entanto, cabe sublinhar que mesmo as transformações se fazem sob a égide de uma tradição dominante, a da memória coletiva africana. Um exemplo disso é o sincretismo dos deuses africanos com os santos católicos. A associação entre Iansã e Santa Bárbara, Iemanjá e Nossa Senhora, Oxalá e Jesus, e várias outras, não são arbitrárias. A memória coletiva africana retém da hagiografia católica aqueles elementos

---

(9) J. Elbein e Deoscoredes dos Santos, "La Religion Nagô Génératrice de Valeurs Culturelles au Brésil", *Colloque de Cotonou*, Paris, Presence Africaine, 1970.

CULTURA BRASILEIRA E IDENTIDADE NACIONAL

que têm alguma analogia com os orixás sincretizados. Exu, quando é sincretizado com o demônio, aproxima as qualidades de Lúcifer às de *trickster* do deus africano. Seu sincretismo com São Pedro retém no entanto um outro traço, o da passagem, o de rei das encruzilhadas, que se associa a Pedro, porteiro do céu. Tem-se assim que a memória coletiva se preserva inclusive no momento em que dinamicamente o sincretismo se estabelece.

Halbwachs considera que, além de a memória coletiva se apresentar como tradição, ela se estrutura internamente como uma partitura musical;[10] isto nos possibilita apreendê-la como sistema estruturado, no qual os atores sociais ocupam determinadas posições e desempenham determinados papéis. O produto da rememorização, a sinfonia final, é o resultado das múltiplas ações de cada agente (músico) em particular; no entanto, o músico executa algo que se encontra programado de antemão. A perspectiva enunciada se aproxima da concepção que Goffman possui das dramatizações na vida cotidiana.[11] É na trama da interação social que o teatro da memória coletiva é atualizado. Os papéis diferenciados de "mãe-de-santo", "filha-de-santo", "ogã" definem posições e funções que permitem o funcionamento do culto e a manutenção da tradição. Isto implica considerar que a memória coletiva deve necessariamente estar vinculada a um grupo social determinado. É o grupo que celebra sua revificação, e o mecanismo de conservação do grupo está estreitamente associado à preservação da memória. A dispersão dos atores tem consequências drásticas e culmina no esquecimento das expressões culturais. Por outro lado, a memória coletiva só pode existir enquanto vivência, isto é, enquanto prática que se manifesta no cotidiano das pessoas. Não é por acaso que fizemos a aproximação entre Halbwachs e Goffman. Na verdade, as representações só adquirem significado quando encarnadas no cotidiano dos atores sociais. Os deuses africanos, Xangô, Ogum, Iemanjá, são vivenciados pelos seus "cavalos--de-santo" e é no dia-a-dia dos homens que se assegura a permanên-

---

(10) M. Halbwachs, "La Mémoire Collective chez les Musiciens", *Révue Philosophique*, n.° 3-4,1939.
(11) I. Goffman, *A Representação do Eu na Vida Cotidiana*, Petrópolis, Vozes, 1975.

134 RENATO ORTIZ

cia do mundo sagrado. O mito religioso penetra, desta forma, o universo profano, para atingir inclusive a cotidianidade daqueles que o suportam. As filhas de Oxum são "lascivas", os filhos de Xangô são "fortes", as filhas de Iemanjá são "maternais". Cada orixá se associa a uma parte do universo (Xangô — trovão, Iemanjá — mar, Oxum — água doce), cada deus possui seu domínio da natureza, seus gostos, suas tendências. O neófito repete os atributos divinos e através destes vai definir seu cotidiano de homem social.

Se considerarmos os fenômenos folclóricos, podemos desenvolver uma argumentação análoga à anterior. Cabe, no entanto, sublinhar que neste caso a tradição não se apresenta como proveniente de uma mesma fonte (a África para a memória dos cultos afro-brasileiros), mas se caracteriza pela sua pluralidade. A cultura popular é heterogênea, as diferentes manifestações folclóricas — reisados, congadas, folias de reis — não partilham um mesmo traço em comum, tampouco se inserem no interior de um sistema único. Gramsci tem razão ao considerá-la como fragmentada na realidade ela se assemelha ao estado que Lévi-Strauss denominou de "pensamento selvagem", isto é, se compõe de pedaços heteróclitos de uma herança tradicional. A cultura popular é plural, e seria talvez mais adequado falarmos em culturas populares. No entanto, se tomarmos como ponto de partida cada evento folclórico em particular (um reisado, uma congada), a comparação com os cultos afro-brasileiros é legítima. A memória de um fato folclórico existe enquanto tradição e se encarna no grupo social que a suporta. É através das sucessivas apresentações teatrais que ela é realimentada. Isto significa que os grupos folclóricos encenam uma peça de enredo único que constitui sua memória coletiva; a tradição é mantida pelo esforço de celebrações sucessivas, como no caso dos ritos afro-brasileiros. Porém, como coloca Carlos Brandão ao estudar os congados do ciclo de São Benedito, este saber popular não existe fora das pessoas, mas entre elas.[12] A partitura musical dos grupos folclóricos distingue atores sociais, o "mestre", o "discípulo", que desempenham papéis diferenciados nas manifestações culturais. Da mesma forma que nos cultos afro-

_____
(12) Carlos Rodrigues Brandão, *Sacerdotes da Viola*, Petrópolis, Vozes, 1981.

CULTURA BRASILEIRA E IDENTIDADE NACIONAL   135

brasileiros, o problema do esquecimento se vincula às dificuldades de se manter a coesão do grupo. A morte de um mestre pode desencadear um processo de desestruturação de toda uma rede de trabalho ritual, uma vez que desaparece um agente que ocupava uma posição de destaque no teatro popular. Somente após um longo aprendizado prático é que os atores podem encarnar com fidedignidade o seu papel. A memória popular (seria mais correto colocar no plural) deve portanto se transformar em vivência, pois somente desta forma fica assegurada a sua permanência através das representações teatrais.

Do mito à ideologia

Vimos na introdução deste estudo a estreita relação que se estabelece entre o nacional e o popular. A memória nacional se colocando na perspectiva da conservação dos valores populares não se identificaria por fim à própria memória popular? Esta identificação, que os diferentes movimentos de cunho nacionalista procuram descobrir, parece-me ilusória. A memória coletiva é da ordem da vivência, a memória nacional se refere a uma história que transcende os sujeitos e não se concretiza imediatamente no seu cotidiano. O exemplo do candomblé e do folclore mostrou a necessidade de a tradição se manifestar enquanto vivência de um grupo social restrito; a memória nacional se situa em outro nível, ela se vincula à história e pertence ao domínio da ideologia. A distinção que Peter Berger propõe para os diferentes universos simbólicos nos auxilia a compreender as duas ordens de fenômenos que estamos considerando.[13] A memória coletiva se aproxima do mito, e se manifesta portanto ritualmente. A memória nacional é da ordem da ideologia, ela é o produto de uma história social, não da ritualização da tradição. Enquanto história ela se projeta para o futuro e não se limita a uma reprodução do passado considerado como sagrado. Peter Berger coloca com propriedade que os universos simbólicos ordenam a história dos homens. Em relação ao passado eles estabelecem a "memória" que é partilhada pelos indivíduos que compõem a coletividade; em relação ao futuro eles definem uma rede

---

(13) P. Berger, *A Construção Social da Realidade*, Petrópolis, Vozes.

136 RENATO ORTIZ

de referências para projeção das ações individuais. Se essas são propriedades de todos os universos simbólicos, cabe no entanto diferenciar o tipo de sistematização histórica que o mito e a ideologia fundamentam. Uma primeira diferença que já exploramos diz respeito à tradição. Um segundo ponto, que decorre, a meu ver, do primeiro, pode ser colocado da seguinte forma: o mito é encarnado pelo grupo restrito, enquanto a ideologia se estende à sociedade como um todo. Os exemplos do candomblé e das manifestações folclóricas mostraram a importância da existência do grupo social portador da memória coletiva. Entretanto, o que caracteriza a memória nacional é precisamente o fato de ela não ser propriedade particularizada de nenhum grupo social, ela se define como um universal que se impõe a todos os grupos. Contrariamente à memória coletiva, ela não possui uma existência concreta, mas virtual, por isso não pode se manifestar imediatamente enquanto vivência. Retomemos neste ponto a temática do universal e do particular. A literatura antropológica está permeada pelo debate sobre a historicidade das sociedades primitivas. Esta polêmica, que se encontra na raiz da Antropologia como ciência — ver, por exemplo, a reação de Malinowski ou de Boas ao evolucionismo —, se prolonga na discussão entre Sartre e Lévi-Strauss.[14] Parece-me que poderíamos colocar o debate a respeito das sociedades de história "quente" ou "fria" em outros termos. Sabendo que nas sociedades primitivas o mito é o sistema que organiza o social, pode-se afirmar que a história mitológica é a história dos grupos sociais restritos que a encarnam, enquanto a ideologia seria a história da sociedade como um todo (ou pelo menos tenderia a sê-lo). Nas sociedades primitivas o todo coincide com o particular, uma vez que o limite dessas sociedades é a própria tribo. Porém, no momento em que a divisão do trabalho se acentua, em que os grupos que compõem a sociedade se diferenciam, tem-se que a sociedade torna-se progressivamente mais complexa. Ideologia e mito, que em um primeiro momento se confundiam, tomam agora significados distintos. A ideologia se define assim como uma concepção de mundo

---

(14) Ver Lévi-Strauss, *O Pensamento Selvagem*, São Paulo, Cia. Ed. Nacional, 1970, e Sartre, *Critique de la Raison Dialectique*, Paris, Gallimard, 1960.

CULTURA BRASILEIRA E IDENTIDADE NACIONAL   137

orgânica da sociedade como um todo (ou visando a totalidade) e como tal age como elemento de cimentação da diferenciação social.

Dentro desta perspectiva, o problema não seria tanto o de contrapor uma sociedade dinâmica a outra estática, mas sim historicidades que se constituem de formas diversas. Neste sentido, eu diria que a memória coletiva dos grupos populares é particularizada, ao passo que a memória nacional é universal. Por isso o nacional não pode se constituir como o prolongamento dos valores populares, mas sim como um discurso de segunda ordem.

Um seminário sobre a noção de identidade, coordenado por Lévi-Strauss, dizia nas conclusões de seu trabalho que a identidade é uma entidade abstrata sem existência real, muito embora fosse indispensável como ponto de referência.[15] Se traduzirmos esta afirmação genérica em termos de identidade nacional, temos que esta, assim como a memória nacional, é sempre um elemento que deriva de uma construção de segunda ordem. Seria interessante trabalharmos neste ponto uma discussão que Roland Corbisier introduz ao procurar fundar uma "essência" da cultura brasileira.[16] Existe na história intelectual brasileira uma tradição que, em diferentes momentos históricos, procurou definir a identidade nacional em termos de caráter brasileiro. Por exemplo, Sérgio B. de Holanda buscou as raízes do brasileiro na "cordialidade", Paulo Prado na "tristeza", Cassiano Ricardo na "bondade"; outros escritores procuraram encontrar a brasilidade em eventos sociais como o carnaval ou ainda na índole malandra do ser nacional.[17] A crítica de Corbisier visa a esses autores quando eles tentam descobrir os traços definitivos do caráter brasileiro. Considerar o homem nacional através de elementos como "cordialidade", "bondade", "tristeza", corresponderia a atribuir-lhe um caráter imutável, à maneira de uma substância filosófica. Para Corbisier, a procura de uma estrutura ontológica do homem brasileiro seria na verdade a busca de uma "estrutura física" que se rearranjaria e se modificaria no decorrer das diferentes "fases" da história brasileira. Apesar da jus-

---

(15) Lévi-Strauss (org.), *L'Identité*, Paris, Grasset, 1977.
(16) Consultar a parte relativa a "Notas", do livro de Corbisier, op. cit.
(17) S. B. Holanda, *Raízes do Brasil*, Rio de Janeiro, José Olympio, 1973; Paulo Prado, *Retrato do Brasil*, São Paulo, Brasiliense, 1944.

138 RENATO ORTIZ

teza da crítica, Corbisier permanece no mesmo quadro teórico dos autores a que se refere, e não percebe que a identidade nacional é uma entidade abstrata e como tal não pode ser apreendida em sua essência. Ela não se situa junto à concretude do presente mas se desvenda enquanto virtualidade, isto é, como projeto que se vincula às formas sociais que a sustentam.

Seria interessante retomarmos neste ponto uma distinção que Gramsci estabelece entre filosofia e folclore, e à qual de certo modo havíamos nos referido no exemplo das manifestações populares.[18] Ao considerar a cultura popular como heterogênea, na verdade Gramsci a está apreendendo enquanto fenômeno particularizado. A realidade do mundo social é múltipla, daí ela se opor à filosofia, sistema de conhecimento que ordena e compreende esta multiplicidade. O folclore, como universo simbólico de conhecimento, se aproxima do mito e se revela como o saber do particular. A pluralidade da memória coletiva deriva justamente do fato de ela se encarnar no grupo que a representa. Sua fragmentação não decorre de uma pretensa debilidade imanente ao popular, mas sim da diversidade dos grupos sociais que são portadores de memórias diferenciadas. Nada unifica um candomblé, um reisado, uma folia de reis, uma cavalhada, a não ser um discurso que se sobrepõe à realidade social. Memória nacional e identidade nacional são construções de segunda ordem que dissolvem a heterogeneidade da cultura popular na univocidade do discurso ideológico. A essência da brasilidade que buscava Corbisier é uma construção, e como tal não pode ser encontrada como realidade primeira da vida social. A memória nacional opera uma transformação simbólica da realidade social, por isso não pode coincidir com a memória particular dos grupos populares. O discurso nacional pressupõe necessariamente valores populares e nacionais concretos, mas para integrá-los em uma totalidade mais ampla. A relação que procurá-vamos entre popular, nacional e Estado pode agora ser explicitada. O Estado é esta totalidade que transcende e integra os elementos concretos da realidade social, ele delimita o quadro de construção

---

(18) Sobre a distinção entre filosofia e folclore, ver Gramsci, *Concepção Dialética da História, op. cit.*; Alberto Cirese, "Conception du Monde, Philosophie Spontanée, Folklore", *Dialectiques*, n°. 4-5, 1974.

CULTURA BRASILEIRA E IDENTIDADE NACIONAL 139

da identidade nacional. É através de uma relação política que se constitui assim a identidade; como construção de segunda ordem ela se estrutura no jogo da interação entre o nacional e o popular, tendo como suporte real a sociedade global como um todo. Na verdade a invariância da identidade coincide com a univocidade do discurso nacional. Isto equivale a dizer que a procura de uma "identidade brasileira" ou de uma "memória brasileira" que seja em sua essência verdadeira é na realidade um falso problema. A questão que se coloca não é de se saber se a identidade ou a memória nacional apreendem ou não os "verdadeiros" valores brasileiros. A pergunta fundamental seria: quem é o artífice desta identidade e desta memória que se querem nacionais? A que grupos sociais elas se vinculam e a que interesses elas servem?

O intelectual como mediador simbólico

A ideia de construção nos remete a uma outra noção, a de mediação. Ao colocarmos a identidade como um elemento de segunda ordem, estamos implicitamente nos referindo aos agentes que a constroem. Se existem duas ordens de fenômenos distintos, o popular (plural) e o nacional, é necessário um elemento exterior a essas duas dimensões que atue como agente intermediário. São os intelectuais que desempenham esta tarefa de mediadores simbólicos. Sílvio Romero, Gilberto Freyre, Roland Corbisier são na verdade agentes históricos que operam uma transformação simbólica da realidade sintetizando-a como única e compreensível. Dito de outra forma, o processo de construção da identidade nacional se fundamenta sempre numa interpretação. A relação com o Estado será em alguns casos direta, como por exemplo para Corbisier, que procura estabelecer uma ideologia desenvolvimentista, fundamento de uma "outra" ordem social. Noutros, indireta, como por exemplo para Gilberto Freyre, que exprime a nostalgia de um Estado que se esgotou historicamente. Todos, no entanto, se dedicam a uma interpretação do Brasil, a identidade sendo o resultado do jogo das relações aprendidas por cada autor.

Se os intelectuais podem ser definidos como mediadores simbólicos é porque eles confeccionam uma ligação entre o particular e o universal, o singular e o global. Suas ações são, portanto, distin-

140 RENATO ORTIZ

tas daqueles que encarnam a memória coletiva. Enquanto esses são especialistas que se voltam para uma vivência imediata, aqueles se orientam no sentido de elaborar um conhecimento de caráter globalizante. Em linguagem goffmaniana poderíamos dizer que os atores da memória coletiva dramatizam um papel pautado pela estrutura da peça encenada (se bem que deve ficar claro que a objetividade do enredo não existe fora dos atores sociais), ao passo que os agentes da memória nacional se definem por uma ação politicamente orientada. Novamente reencontramos neste ponto a distinção gramsciana entre folclore e filosofia. Entretanto, é fundamental entender que essas duas instâncias são distintas mas não forçosamente antagônicas. Colocar o intelectual como mediador simbólico implica apreendermos a mediação como possibilidade de reinterpretação simbólica. Dito em linguagem gramsciana, o folclore penetra a filosofia. O intelectual-filósofo trabalha os elementos do folclore para integrá-los no sistema de conhecimento que Gramsci denomina filosofia. O folclore, que se define como conhecimento fragmentado, passa desta maneira a integrar um todo coerente ao ser mediatizado pela atividade intelectual. É bem verdade que este processo de operação simbólica reedita a realidade, o folclore já não é mais o mesmo, ele perde o seu significado primeiro, no entanto, o que nos interessa sublinhar é que este elemento da tradição subsiste, de forma reelaborada, no discurso da filosofia. Um exemplo: é por meio do mecanismo de reinterpretação que o Estado, através de seus intelectuais, se apropria das práticas populares para apresentá-las como expressões da cultura nacional. O candomblé, o carnaval, os reisados etc. são, desta forma, apropriados pelo discurso do Estado, que passa a considerá- los como manifestação de brasilidade.[19] Outro exemplo típico deste gênero de operação é realizado pela indústria do turismo, que procura vender, a brasileiros e estrangeiros, a identidade nacional manifestada nas produções populares.

A construção da identidade nacional necessita portanto desses mediadores que são os intelectuais. São eles que descolam as manifestações

---

(19) Sobre os mecanismos de apropriação, ver Ruben Oliven, "As Metamorfoses da Cultura Brasileira", *in Violência e Cultura no Brasil*, Petrópolis, Vozes, 1982.

CULTURA BRASILEIRA E IDENTIDADE NACIONAL   141

culturais de sua esfera particular e as articulam a uma totalidade que as transcende. Um exemplo deste tipo de articulação se encontra na elaboração da identidade étnica — neste caso, a totalidade coincide com a etnia e não mais com a nação. As manifestações de cultura negra sempre existiram enquanto expressões culturais, elas estão particularizadas nas ações dos africanos (por exemplo, uma dança, um ritual religioso) ou dos negros americanos (por exemplo, um gesto, uma fala, um canto); porém, o movimento da negritude só pode surgir no momento em que um grupo de intelectuais toma como objeto de reflexão a condição do negro diante do homem branco. Aimé Césaire, Senghor, Alioune Diop são intelectuais que, vivendo um momento de pós-guerra, se voltam para a África na busca de uma identidade negra que é no entanto algo virtual.[20] Isto é, eles tomam como substrato de reflexão as expressões culturais negras e constroem uma identidade étnica que se contrapõe à dominação do senhor branco. Os movimentos negros atuais operam de maneira análoga. Eles buscam formas concretas de expressões culturais para integrá-las e reinterpretá-las dentro de uma perspectiva mais ampla. Neste sentido, no caso dos movimentos negros brasileiros, a cultura afro-brasileira não é simplesmente vivenciada na sua particularidade, mas o singular passa a definir uma instância mais generalizada de conhecimento. Ao integrar em um todo coerente as peças fragmentadas da história africana (negra) — candomblé, quilombos, capoeira — os intelectuais constroem uma identidade negra que unifica os atores que se encontravam anteriormente separados. A identidade é neste sentido elemento de unificação das partes, assim como fundamento para uma ação política. Por isso um militante como Abdias do Nascimento pode apresentar o quilombismo como um programa de ação que visa a transformar a situação do negro brasileiro.[21] Na verdade, o que se propõe é uma interpretação do passado e da cultura negra orientando-os no sentido de um movimento social.

O estudo da identidade nos remete a uma distinção entre movimentos sociais e manifestações culturais. Não resta dúvida de que

---

(20) Sobre o movimento da negritude, ver *Anthropologie de la Nouvelle Poésie Negre*, Paris, PUF. Introdução de Jean-Paul Sartre.
(21) Abdias do Nascimento, *O Quilombismo*, Petrópolis, Vozes, 1980.

a cultura encerra sempre uma dimensão de poder que lhe é interna. As manifestações populares podem ser, assim, analisadas em termos de poder, como já o fizemos em outros escritos. Procurei, no entanto, estabelecer uma distinção entre *político* e *política*. Considero a dimensão do político como imanente à vida social, e com isto quero dizer que as relações de poder penetram o domínio da esfera da cultura. Entretanto, o que é político (isto é, relação de poder) nem sempre se atualiza enquanto política, o que implica aceitar que entre os fatos culturais e as manifestações propriamente políticas é necessário definir uma mediação. Os fenômenos culturais encerram sempre uma dimensão onde se desenvolvem relações de poder, porém seria impróprio considerá-los como expressão imediata de uma consciência política ou de um programa partidário. É importante ter em mente que as expressões culturais não se apresentam na sua concretude imediata como projeto político. Para que isto aconteça é necessário que grupos sociais mais amplos se apropriem delas para, reinterpretando-as, orientá-las politicamente. A totalidade, que é o ponto de referência para esta orientação política, pode ser diversificada; por exemplo, ela é nacional, étnica ou sexual (no caso do movimento feminista). O que importa, porém, é que ela transcende a particularidade dos indivíduos e dos grupos sociais restritos, para inseri-los em um projeto que os transcende. Os movimentos populares não coincidem com as expressões populares. Na realidade eles agem como filtro, privilegiando alguns aspectos da cultura, mas esquecendo outros. A cultura enquanto fenômeno de linguagem é sempre passível de interpretação, mas em última instância são os interesses que definem os grupos sociais que decidem sobre o sentido da reelaboração simbólica desta ou daquela manifestação. Os intelectuais têm neste processo um papel relevante, pois são eles os artífices deste jogo de construção simbólica.

Bibliografia

ALMEIDA, Ricardo e outros. *Arte Popular* e *Dominação*. Recife, Alternativa, 1978.

AZEVEDO, Thales. *Os Brasileiros*. Salvador, UFBa, 1981.

BASTIDE, Roger. *As Religiões Africanas no Brasil*. São Paulo, Ed. USP, 1971.

_____. *Le Candomblé de Bahia*. Paris, Mouton, 1958.

_____. *Estudos Afro-Brasileiros*. São Paulo, Perspectiva, 1973.

_____. *Sociologia do Folclore Brasileiro*, São Paulo, Anhembi, 1959.

_____. "Escritos sobre Folclore", n.° especial, *Cadernos do CERU*, USP, n.° 10, 1977.

BARROS, N. Lins. "Musica Popular: Novas Tendências". *Revista Civilização Brasileira*, n.° 1, junho 1965.

BERLINCK, Manuel. *Projeto para Cultura Brasileira nos Anos 60: CPC*, UNICAMP, Dep. Sociologia, mimeo.

BERNARDET, Jean-Claude. *Cinema Brasileiro: Proposta para uma História*. Rio de Janeiro, Paz e Terra, 1979.

BEZERRA DE MENEZES, E. Diatay. "Celso de Magalhães e os Inícios da Investigação sobre Literatura Popular no Brasil". VI Encontro ANPPCS. Gruo Sociologia da Cultura, Friburgo, outubro 1982.

BOAL, Augusto. "Tentativa de Análise de Desenvolvimento do Teatro Brasileiro". *Arte em Revista*, n.° 6, 1980.

BONFIM, Manuel *América Latina: Males de Origem*. Rio de Janeiro, A Noite, s.d.p.

BRANDÃO, Carlos R. Os *Sacerdotes da Viola*. Petrópolis, Vozes, 1981.

BUARQUE DE HOLANDA, Heloísa. *Patrulhas Ideológicas*. São Paulo, Brasiliense, 1980.

144 RENATO ORTIZ

BUARQUE DE HOLANDA, Sérgio. *Raízes do Brasil*. Rio de .laneiro, José Olympio, 1973.

CÂMARA CASCUDO. *Dicionário de Folclore Brasileiro*. MEC, 1954.

_____. *Antologia do Folclore Brasileiro*, Silo Paulo, Ed. Martins, 1971.

CAMPOS, Roberto. "Cultura e Desenvolvimento". *Introdução aos Problemas do Brasil*. Rio de Janeiro, ISEB, 1956.

CÂNDIDO, Antônio. *Formação da Literatura Brasileira*. São Paulo, Ed. USP, 1975.

_____. O "Método Crítico em Sílvio Romero", São Paulo, USP, Boletim, 266, 1961.

_____. *Terezina*. Rio de Janeiro, Paz e Terra, 1980.

_____. "Dialética da Malandragem". *Revista Estudos Brasileiros*, São Paulo, n.º 8, 1970.

CARNEIRO, Edson. *Dinâmica do Folclore*. Rio de Janeiro, Civilização Brasileira, 1965.

_____. *Os Candomblés da Bahia*. Rio de Janeiro, Edições de Ouro, s.d.p.

CARVALHO FRANCO, M. S. "O Tempo das Ilusões". *Ideologia e Mobilização Popular*. Rio de Janeiro, Paz e Terra, 1978.

CINEMA NOVO. "Debate: Origens, Ambições, Perspectivas". *Revista Civilização Brasileira*, n.º 1, junho 1965.

COMBLIN, J. *A Ideologia da Segurança Nacional*. Rio de Janeiro, Civilização Brasileira, 1980.

COHN, GABRIEL. A Concepção da Política Cultural nos Anos 70, Encontro de Cultura e Estado, São Paulo, IDESP, ago.-set 1982.

CORBISIER, Roland. *Formação* e *Problemas da Cultura Brasileira*. Rio de Janeiro, ISEB, 1959.

_____. "O Problema Nacional Brasileiro". *Revista Civilização Brasileira*, n.º 7, novembro 1965.

COUTINHO, C. Nelson. "Cultura e Democracia no Brasil". *Encontros com a Civilização Brasileira*, n.º 17, novembro 1979.

COUTO DE MAGALHÃES. *O Selvagem*. Rio de Janeiro, Brasiliana, s.d.p. Coutinho, C. N.; Sodré, N. W., e outros. "Cultura Brasileira". Escrita, Rio de Janeiro, n.º 1..

CUNHA, Euclides. O*s Sertões*. Rio de Janeiro, Edições de Ouro, s.d.p.

CRUZ COSTA, J. *Contribuição à História das Idéias no Brasil*. Rio de Janeiro, José Olympio, 1956.

DASSIN, Joan. *Política* e *Poesia em Mário de Andrade*. São Paulo, Duas Cidades, 1978.

ELBEIN, Juana. *Os Nagôs* e *a Morte*. Petrópolis, Vozes, 1976.

_____. Santos, D. *La Religion Nagô Génératrice de Valeurs Culturelles au Brésil*, Paris. Presence Africaine, 1970.

ESCOLA SUPERIOR DE GUERRA. *Manual Básico*. ESG, Departamento de Estudos, MB-75, 1975.

CULTURA BRASILEIRA E IDENTIDADE NACIONAL   145

ESTEVAM, Carlos. *A Questão da Cultura Popular*. Rio de Janeiro, Tempo Brasileiro, 1963.

FERNANDES, Florestan. *Integração do Negro na Sociedade de Classes*, São Paulo, Afica, 1978.

_____. O *Negro no Mundo dos Brancos*. São Paulo, Difel, 1972.

_____. *A Revolução Burguesa no Brasil*. Rio de Janeiro, Zahar, 1975.

_____. O *Folclore em Questão*. São Paulo, Hucitec, 1978.

FREYRE, Gilberto. *Casa Grande e Senzala*. Rio de Janeiro, José Olympio, 1943.

_____. *Sobrados e Mucambos*. Rio de Janeiro, José Olympio.

_____. *Interpretação do Brasil*. Rio de Janeiro, José Olympio, 1947.

_____. *Região e Tradição*. Rio de Janeiro, José Olympio, 194I.

_____. O *Mundo que o Português Criou*. Rio de Janeiro, José Olympio, 1940.

_____. *Manifesto Regionalista*. Recife, IJNPS, 1967.

FUNARTE. *Anos 70* (Teatro, Literatura, Música). Rio de Janeiro, Europa, 1979.

GULLAR, Ferreira. *A Cultura Posta em Questão*. Rio de Janeiro, Civilização Brasileira, 1965.

GUARNIERI, G. "O Teatro como Expressão da Realidade Nacional", *Arte em Revista*, n.º 6, 1980.

HENNEBELLE, Guy. *Os Cinemas Nacionais contra Hollywood*, Rio de Janeiro, Paz e Terra, 1978.

LANNI, Octávio. *Estado e Planejamento no Brasil*. Rio de Janeiro, Civilização Brasileira, 1979.

_____. O *Colapso do Populismo no Brasil*. Rio de Janeiro, Civilização Brasileira, 1968.

_____. "O Estado e a Organização da Cultura". *Encontros com a Civilização Brasileira*, n.º 1, julho 1978.

JAGUARIBE, Hélio. O *Nacionalismo na Atualidade Brasileira*. Rio de Janeiro, ISEB,1958.

_____. "ISEB — Um Breve Depoimento e Uma Reapreciação Crítica". *Cadernos de Opinião*, n.º 14, 1979.

JARDIM, Eduardo. *A Brasilidade Modernista*. Rio de Janeiro, Graal, 1978.

KOWARICK, Lúcio. "Estratégias do Planejamento Social no Brasil". *Cadernos CEBRAP*, 2, 1976.

LEITE, D. Moreira. O *Caráter Nacional Brasileiro*. São Paulo, Pioneira, 1969.

Leite, S. Uchôa. "Cultura Popular: Esboço de Unia Resenha Crítica". *Revista Civilização Brasileira*, n.º 4, set. 1965.

LESSA, Carlos. "A Nação-Potência como um Projeto do Estado e para o Estado". *Cadernos de Opinião*, n.º 15, dez. 79-ago. 80.

LIPPI, Lúcia. "Tradição e Política: Um Estudo de Pensamento de Almir de Andrade". Grupo de Sociologia de Cultura, V Encontro ANPPCS, Friburgo, out. 1981.

MAGALHÃES, Basílio. O *Folclore no Brasil*. Rio de Janeiro, 1939.

146 RENATO ORTIZ

MARSON, Adalberto. *A Ideologia Nacionalista em Alberto Torres*. São Paulo, Duas Cidades, 1979.

MARTINS, Luciano. "A Política e os Limites da Abertura". *Cadernos de Opinião*, n.º 15, dez. 79-ago. 80.

MARTINS, Wilson. *História da Inteligência Brasileira* (vols. V, VI, VII), São Paulo, Cultrix, 1977-1978.

MATA, Roberto da. *Relativizando*. Petrópolis, Vozes, 1981.

_____. *Antropologia Estrutural*. Petrópolis, Vozes, 1973.

_____. *Carnaval, Malandros e Heróis*. Rio de Janeiro, Zahar, 1981.

MATOS, Cláudia. *Acertei no Milhar: Samba e Malandragem no Tempo de Getúlio*. Rio de Janeiro, Paz e Terra, 1982.

MENDES, Cândido. *Nacionalismo e Desenvolvimento*. Rio de Janeiro, IBEAA, 1963.

MICELI, Sergio. *Intelectuais e Classe Dirigente no Brasil*. São Paulo, Difel, 1979.

_____. "O Processo de Construção Institucional na Área Federal — Anos 70". Encontro de Cultura e Estado, São Paulo, IDESP, ago.-set. 82.

MOTA, C. Guilherme. *Ideologia da Cultura Brasileira*. São Paulo, Ática, 1977.

MOTA, L. C.; Vieira, R. Amaral e outros. *Comunicação de Massa: o Impasse Brasileiro*, Rio de Janeiro, Forense Universitária, 1978.

MUNIZ Sodré. "O Mercado de Bens Culturais". Encontro Estado e Cultura, São Paulo, IDESP, ago.-set. 1982.

MÚSICA Popular Brasileira. "Debates". *Revista Civilização Brasileira*, n.º 3, ago. 1965.

_____. "Debate: que Caminhos Seguir?". *Revista Civilização Brasileira*, n.º 7, novo 65.

NASCIMENTO, Abdias. O *Quilombismo*. Petrópolis, Vozes, 1980.

NINA Rodrigues, R. *As Colectividades Anormaes*. Rio de Janeiro, Civilização Brasileira, 1939.

_____. *As Raças Humanas* e a *Responsabilidade Penal*. Rio de Janeiro, Ed. Guanabara.

_____. *L'Animisme Fétichiste des Negres de Bahia*, Paris, 1890.

_____. *Os Africanos no Brasil*. São Paulo, Cia. Ed. Nacional, 1945.

NOGUEIRA, Luiz. "O Brasil e sua Política de Comunicação". ECA, USP, tese de mestrado, 1978.

NOVAIS, Adauto. "O Debate Ideológico e a Questão Cultural". *Encontros com a Civilização Brasileira*, n.º 12, junho 1979.

OLIVEN, Ruben. *Violência* e *Cultura no Brasil*. Petrópolis, Vozes, 1982.

Ortiz, Renato. *A Morte Branca do Feiticeiro Negro*. Petrópolis, Vozes, 1978.

_____. *A Consciência Fragmentada*. Rio de Janeiro, Paz e Terra, 1980.

PAIVA, Vanilda. *Paulo Frevre* e o *Nacionalismo Desenvolvimentista*. Rio de Janeiro. Civilização Brasileira, 1980.

CULTURA BRASILEIRA E IDENTIDADE NACIONAL 147

PEREIRA DE QUEIROZ, M. Isaura. O *Campesinato Brasileiro*. Petrópolis, Vozes, 1973.

_____. *Sociologia e Folclore*. São Paulo, Liv. Progresso, 1958.

_____. "Cientistas Sociais e Autoconhecimento da Cultura Brasileira Através do Tempo". III Encontro ANPPCS, Grupo de Sociologia da Cultura, Belo Horizonte, 1979.

_____. Ortiz, R. e Miceli, S. "Esboço de um Projeto de Investigação da Produção Cultural no Brasil". *Cadernos do CERU*, USP, n.° 17, set. 1982.

PESSÔA DE MORAIS, *Tradição e Transformação do Brasil*. Rio de Janeiro, Leitura, 1965.

PRADO, Paulo. *Retrato do Brasil*. São Paulo, Brasiliense, 1944.

QUINTELLA, M. Diegues. Relatório sobre as Instituições Culturais. Centro de Estudos Latino-Americano, Rio de Janeiro, 1978.

RAMOS, Arthur. *Le Métissage au Brésil*. Paris, Hermann, 1952.

_____. *Introdução à Antropologia Brasileira*. Rio de Janeiro, CEB, s.d.p.

_____. *As Ciências Sociais e os Problemas de Após-Guerra*. Rio de Janeiro, CEB, 1944.

_____. *Estudos de Folk-lore*. Rio de Janeiro, CEB, 1951.

RAMOS, Guerreiro. O *Problema Nacional do Brasil*. Rio de Janeiro, Saga, 1960.

_____. *Introdução Crítica à Sociologia no Brasil*. Rio de Janeiro, Andes, 1957.

RAMOS Ortiz; J. Mário. "Cinema, Estado e Lutas Culturais", PUC, São Paulo, tese de mestrado, 1982.

RIBEIRO, Darcy. *Os Brasileiros: Teoria do Brasil*. Petrópolis, Vozes, 1980.

ROCHA, Glauber. "Uma Estética da Fome". *Arte em Revista*, n.° 1, 1979.

ROMERO, Sílvio. *História da Literatura Brasileira*. Rio de Janeiro, José Olympio, 1943.

_____. *Cantos Populares no Brasil*, Rio de Janeiro, Jose Olympio, 1954.

SALLES Gomes. P. Emílio, *Cinema: Trajetória no Subdesenvolvimento*. Rio de Janeiro, Paz e Terra, 1980.

_____. "Uma Situação Colonial", *Arte em Revista*, n°. 1, 1979.

SANTIAGO, Silviano. "Repressão e Censura no Campo da Literatura e das Artes na Década de 70", *Encontros com a Civilização Brasileira*, n.° 17, nov. 1979.

SCHWARZ. Roberto, *Ao Vencedor as Batatas*, São Paulo, Duas Cidades, 1977.

_____. "Complexo, Moderno, Nacional e Negativo". Encontro do Grupo de Sociologia da Cultura, USP, São Paulo, 1981.

_____. "Nota sobre Vanguarda e Conformismo". *Teoria e Prática*, n.° 2, São Paulo, 1967.

SKIDMORE, Thomas. *Preto no Branco*. Rio de Janeiro, Paz e Terra, 1976.

SODRÉ, N. Werneck, *A Verdade sobre o ISEB*, Rio de Janeiro, Avenir Ed., 1978.

_____. *Raizes Históricas do Nacionalismo no Brasil*. Rio de Janeiro, ISEB, 1959.

_____. *Síntese de uma História da Cultura Brasileira*. Rio de Janeiro, Civilização Brasileira, 1970.

148 RENATO ORTIZ

_____. *Quem é Povo no Brasil?*. Rio de Janeiro, Civilização Brasileira, "Cadernos do Povo", 1962.

TOLEDO, C. Navarro. *ISEB: Fábrica de Ideologias*, São Paulo, Ática, 1977.

Valle, Ed. e Queiroz, J. (org.), *A Cultura do Povo*, São Paulo, Cortez Ed., 1979.

VIANA, Oliveira. *Evolução do Povo Brasileiro*. São Paulo, Cia Ed. Nacional, 1938.

VIANNA, Oduvaldo. "Umi Pouco de Pessedismo Não Faz Mal a Ninguém". *Revista Civilização Brasileira*, julho 1968.

VIEIRA PINTO, Álvaro. *Ideologia e Desenvolvimento Nacional*, Rio de Janeiro, ISEB, 1959.

_____. *Consciência e Realidade Nacional*. Rio de Janeiro, ISEB, 1960.

VIEIRA, R. Amaral. "O Papel do Rádio e da TV na Formação Cultural Brasileira". *Revista AREPEC*, n.º 4, junho 1978.

VON SIMSON, Olga. "Transformações Culturais, Criatividade Popular e Comunicação de Massa: O Carnaval Brasileiro ao Longo do Tempo". IV Encontro ANPPCS, Grupo de Sociologia da Cultura, Rio de Janeiro, out. 1980.

WERTHEIM, J. (org.). *Meios de Comunicação: Mito e Realidade*. São Paulo. Cia Ed. Nacional, 1979.

Revistas Pesquisadas:

— *Movimento*, UNE.
— *Cultura*, Conselho Federal de Cultura.
— *Boletim*, Conselho Federal de Cultura.
— *Revista de Cultura Brasileira*, CFC.
— *Cultura*, Ministério de Educação e Cultura.
— *Filme-Cultura*, Embrafilme e Instituto Nacional de Cinema.
— *Dionísios*, Serviço Nacional de Teatro.
— *Revista de Teatro*, SBAT.

Sobre o autor

Renato Ortiz nasceu em Ribeirão Preto (SP) em 1947. Estudou na Escola Politécnica (USP) entre 1966 e 1969. Formou-se em Sociologia e Antropologia pela Universidade de Paris VIII e doutorou- se em Sociologia e Antropologia pela École des Hautes Études en Sciences Sociales.

Foi professor da Universidade de Louvain (1974-1975), da UFMG (1977-1984) e do Programa de Pós-Graduação em Ciências Sociais da PUC-SP (1985-1988). Atualmente leciona no Departamento de Sociologia da Unicamp. Foi pesquisador do Latin American Institute da Universidade de Columbia e do Kellog Institute da Universidade de Notre Dame, além de professor visitante da Escuela de Antropologia, no México.

Publicou vários artigos sobre religiosidade popular, cultura brasileira e cultura popular em diferentes revistas, entre elas: *Religião e Sociedade, Cadernos de Opinião, Cadernos do CERU, Archives des Sciences Sociales des Religions e Diogenes.* É autor dos livros *A Consciência Fragmentada* (Paz e Terra), *Pierre Bourdieu* (Ática), *Telenovela: História e Produção* (Brasiliense), em co-autoria com José Mário Ortiz e Silvia S. Borelli, *A Morte Branca do Feiticeiro Negro* (Brasiliense) e *A Moderna Tradição Brasileira* (Brasiliense).